한글 쓰기

동사, 형용사 학습

2단계

7세

왜 7세의 **한글 쓰기**가 중요할까요?

한글 쓰기가 중요한 까닭

아이에게 '초능력'이라는 글자를 써 보게 하세요. 어떻게 쓰고 있나요?

한글을 익히는 데에만 집중하다 보니 정작 글자를 쓰는 순서를 잘 모르거나 바르게 쓰지 못하는 경우가 많아요.

글자를 바르게 쓰는 습관은 어릴 때부터 길러집니다. 요즘은 특히 컴퓨터나 스마트폰을 많이 사용하면서 글자를 쓰는 일이 줄어들다 보니 악필로 이어지는 경우가 많다고 해요. 글씨는 쓰는 사람의 마음을 담고 있다는 말이 있어요. 그만큼 예쁘고 단정한 손 글씨는 쓰는 사람과 읽는 사람의 마음을 차분하게 해 준답니다.

이렇게 한글 쓰기를 지도해 주세요.

글자를 예쁘게 쓰기 위한 기본은 올바른 순서를 지켜 쓰는 것입니다.

바른 자세로 앉아 연필을 바르게 쥐고 정해진 순서와 칸에 맞게 글자를 쓰면 자연스럽게 예쁜 글씨를 쓰게 됩니다.

먼저 순서를 차분히 익힌 후, 흐린 글자를 따라 써 보고, 스스로 빈칸을 채워 쓰도록 하는 것이 좋습니다.

그리고 어린이들이 많이 사용하는 색연필, 크레파스, 연필 등으로 쓰는 것이 좋고, 어른들이 주로 쓰는 볼펜이나 샤프펜슬은 쓰지 않는 것이 좋답니다.

7세 초능력 한글 쓰기는 이런 점이 좋아요!

7세에게 꼭 필요한 부분을 7세에 맞게!

바르게 글자를 쓰는 습관을 길러야 하는 6~7세의 수준을 고려하여 글자의 짜임과 글자 쓰는 순서를 크고 자세하게 나타냈습니다.

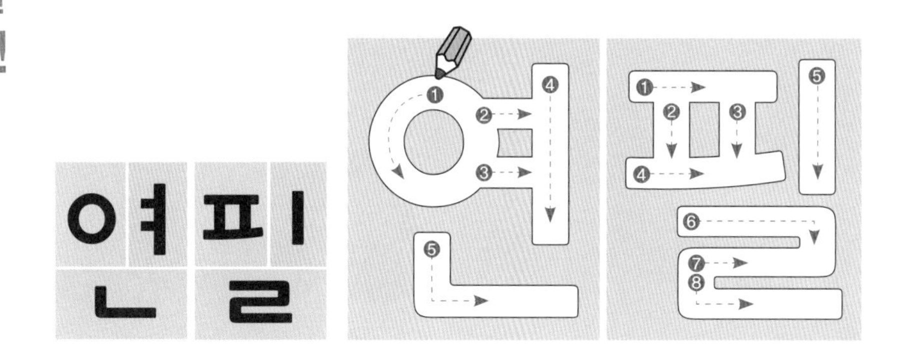

엄선한 주제로 다양한 어휘 학습!

일상생활과 관련한 22개의 주제를 뽑아 꼭 알아야 할 관련 어휘 132개를 선정하여 실었습니다.

1단계는 명사, 2단계는 동사와 형용사로 구성하여 다양한 어휘를 품사별로도 익힐 수 있게 하였습니다.

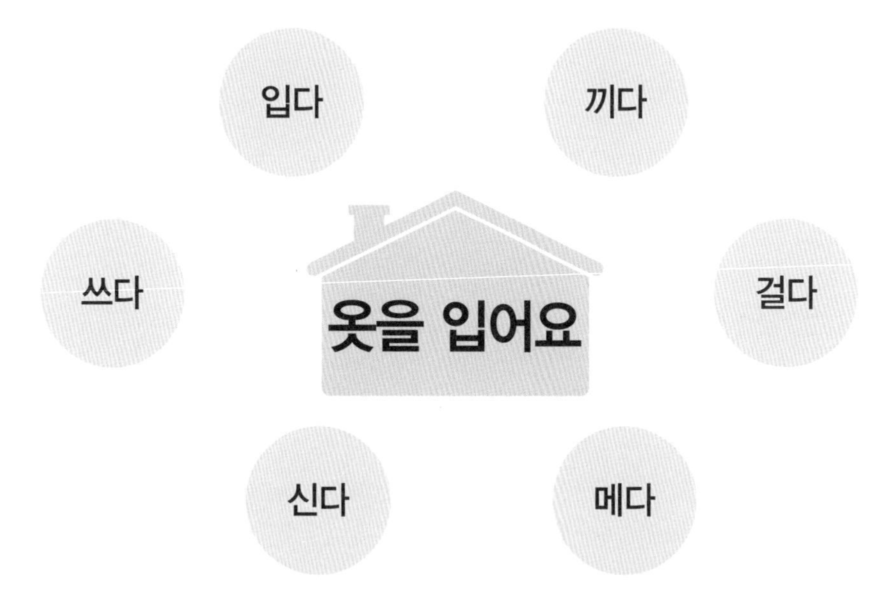

7세 초능력 한글 쓰기의 구성과 활용법

1

주제와 관련한 중요한 낱말을 익혀요.

그림을 통해 무엇을 배울지 주제를 알아보고, 관련 낱말을 다양하게 익힐 수 있습니다.

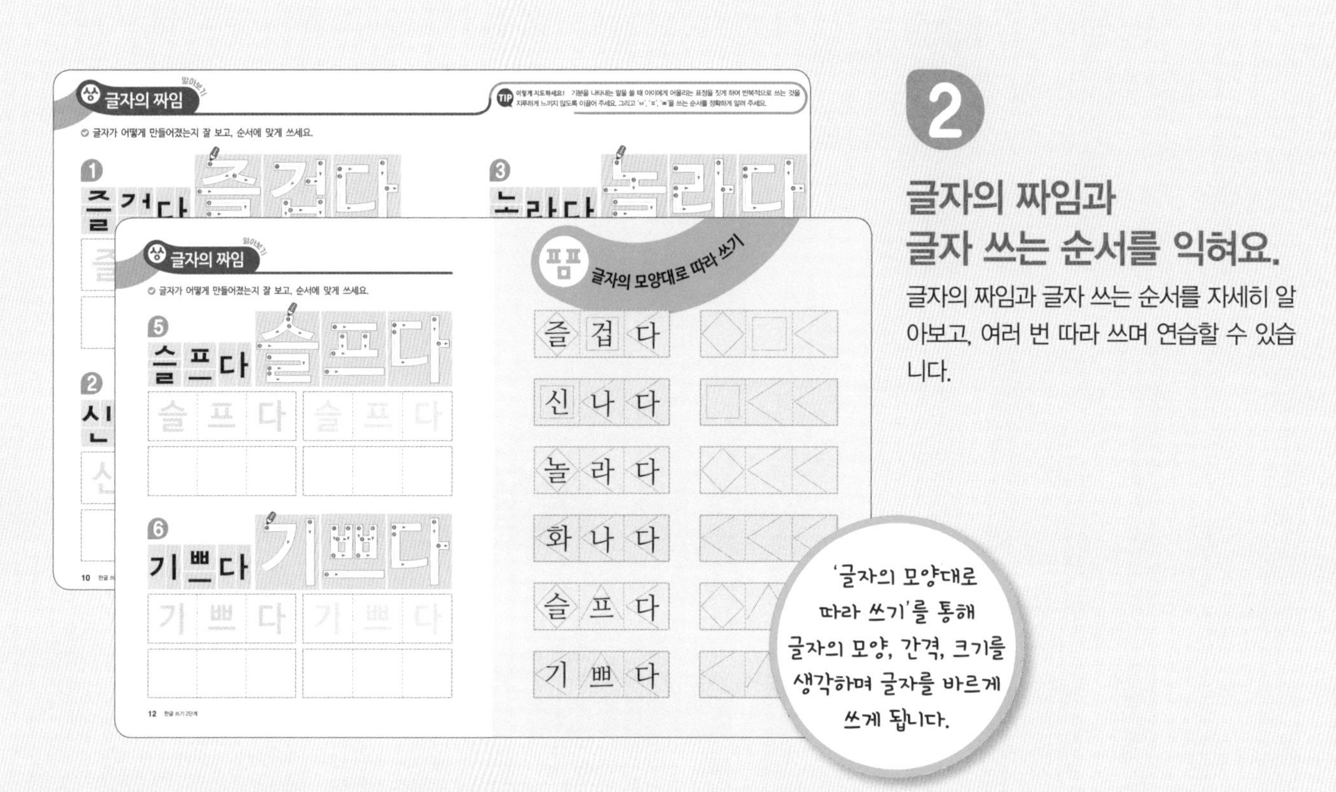

2

글자의 짜임과 글자 쓰는 순서를 익혀요.

글자의 짜임과 글자 쓰는 순서를 자세히 알아보고, 여러 번 따라 쓰며 연습할 수 있습니다.

정확한 글자 익혀 보기

다음 그림이 나타내는 낱말을 알맞게 채워 쓰세요.

동생과 재미있게 놀 때
➡ 신 나 다

아무도 내 옆에 없을 때
➡ 슬 프 다

친구가 따지듯 말할 때
➡ 화 나 다

짝꿍이 아픈 나를 도와줄 때
➡ 기 쁘 다

그림을 보고, 빈칸에 알맞은 말을 보기에서 찾아 쓰고 문장을 만들어 보세요.

보기 즐겁다 화나다 놀라다 슬프다

❶ 누리는 모래놀이를 해서 .

❷ 수아가 친구를 보고 깜짝 .

❸ 진호는 강아지가 사라져서 .

❹ 연수는 친구가 미끄럼틀을 못 타게 해서

14 한글 쓰기 2단계

3

정확한 글자를 익히고 문장을 채워요.

문제를 풀면서 앞서 익힌 낱말을 확인하고, 그림을 다시 보면서 문장을 완성하는 연습까지 할 수 있습니다.

한글 쓰기를 하기 전에 **이것만은 꼭!**

- 연필의 아랫부분을 잡습니다.
- 연필을 너무 세우거나 눕히지 않습니다.
- 엄지손가락과 집게손가락의 모양을 둥글게 하여 연필을 잡습니다.

▶왼손으로 잡기

▶오른손으로 잡기

7세 초능력 한글 쓰기의 차례

동사, 형용사 학습

동사, 형용사

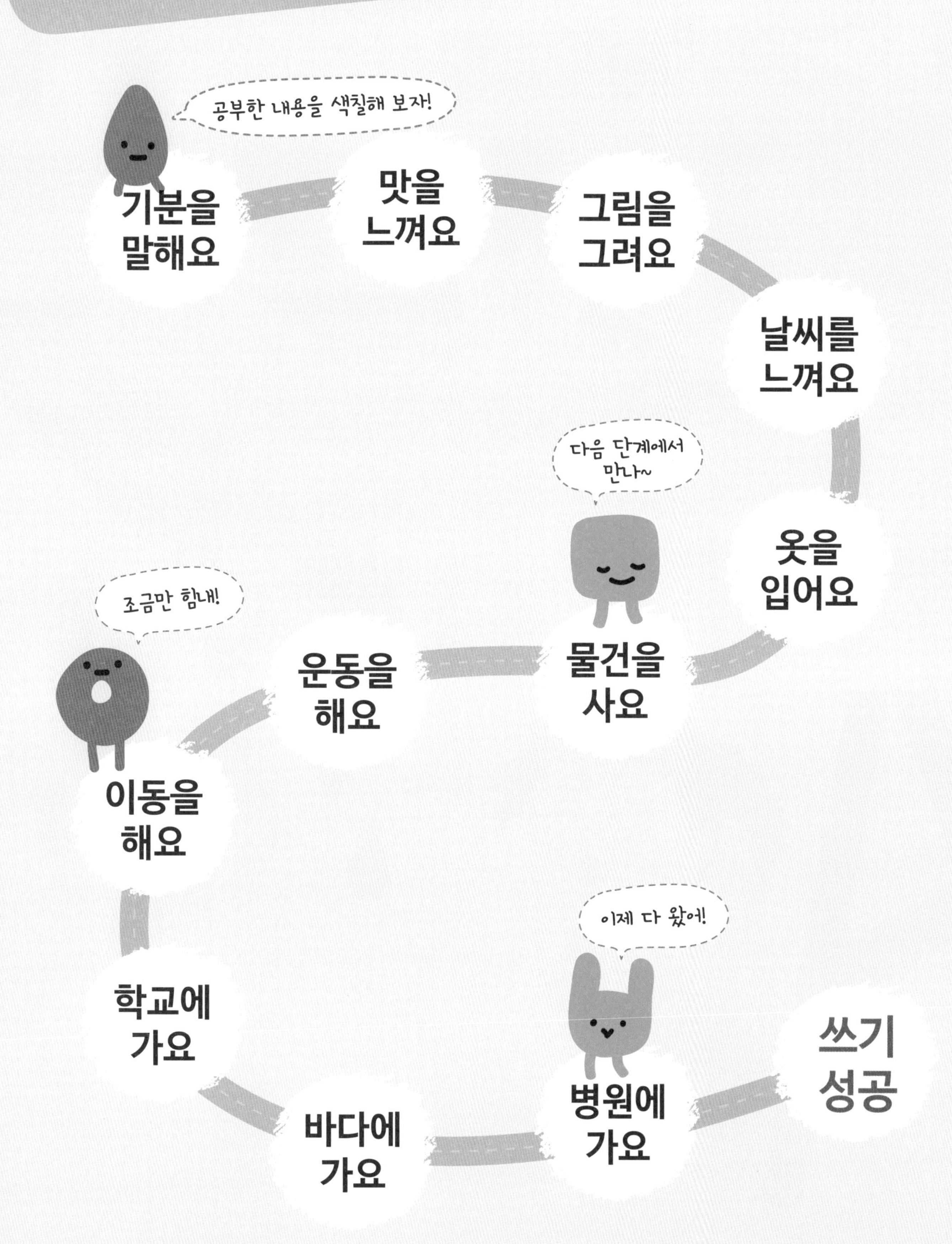
공부한 내용을 색칠해 보자!
기분을 말해요
맛을 느껴요
그림을 그려요
날씨를 느껴요
옷을 입어요
다음 단계에서 만나~
물건을 사요
운동을 해요
조금만 힘내!
이동을 해요
학교에 가요
바다에 가요
이제 다 왔어!
병원에 가요
쓰기 성공

기분을 말해요
즐겁다
놀라다
신나다

TIP 이렇게 지도하세요!

아이에게 놀이터에서 어떤 기분을 느꼈는지 질문해 주시고, 아이가 자연스럽게 기분을 나타내는 말을 이야기하도록 해 주세요. 그리고 친구와 놀이할 때 즐겁고 신나는 기분, 친구와 다투었을 때 슬프고 화나는 기분 등이 들 수 있음을 알려 주세요. 그런 다음 그림 속 낱말을 읽고, 따라 쓰도록 지도해 주세요.

알아보기

상 글자의 짜임

글자가 어떻게 만들어졌는지 잘 보고, 순서에 맞게 쓰세요.

1

즐겁다

즐	겁	다

즐	겁	다

2

신나다

신	나	다

신	나	다

TIP 이렇게 지도하세요! 기분을 나타내는 말을 쓸 때 아이에게 어울리는 표정을 짓게 하여 반복적으로 쓰는 것을 지루하게 느끼지 않도록 이끌어 주세요. 그리고 'ㅂ', 'ㅍ', 'ㅃ'을 쓰는 순서를 정확하게 알려 주세요.

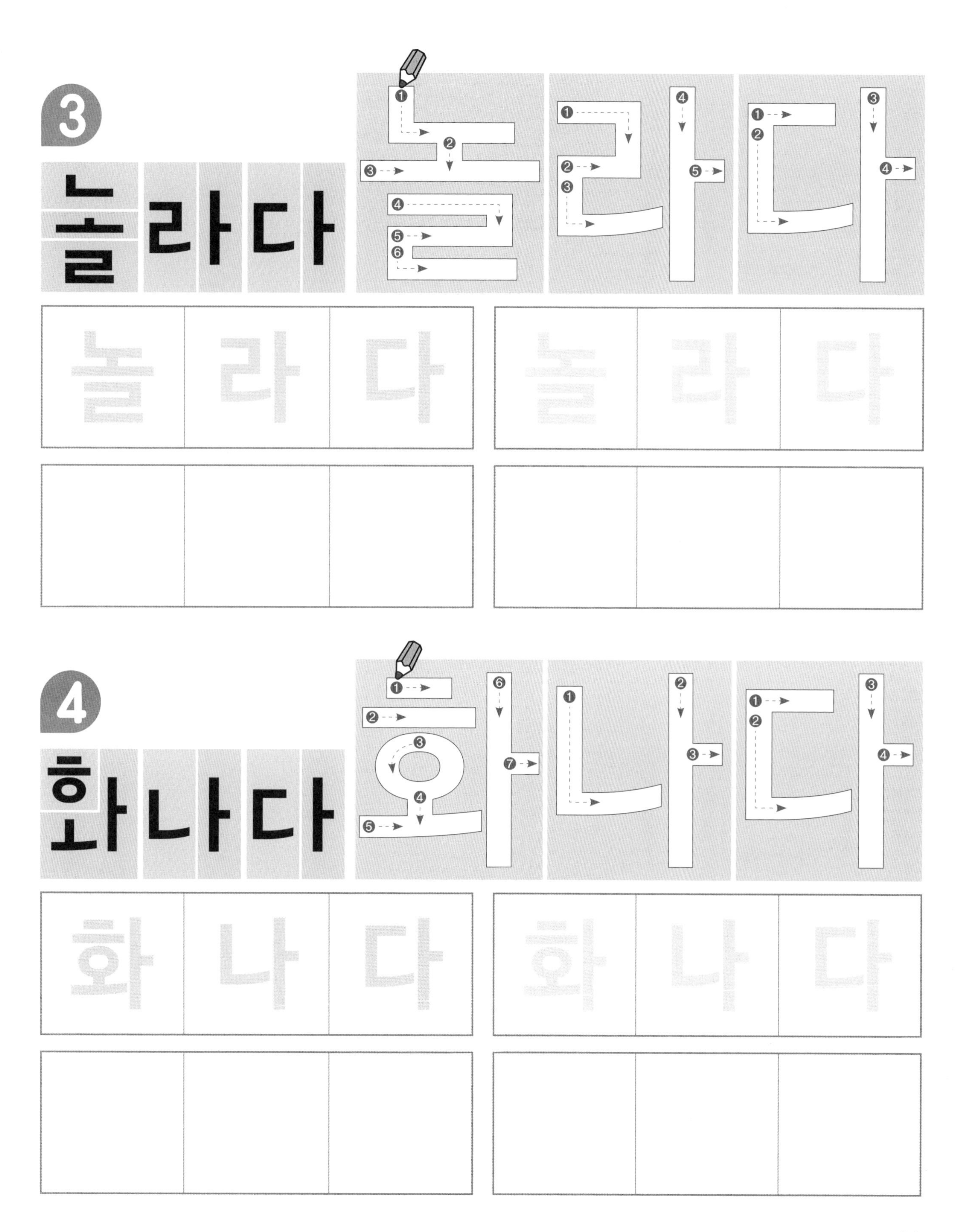

상 글자의 짜임 알아보기

✔ 글자가 어떻게 만들어졌는지 잘 보고, 순서에 맞게 쓰세요.

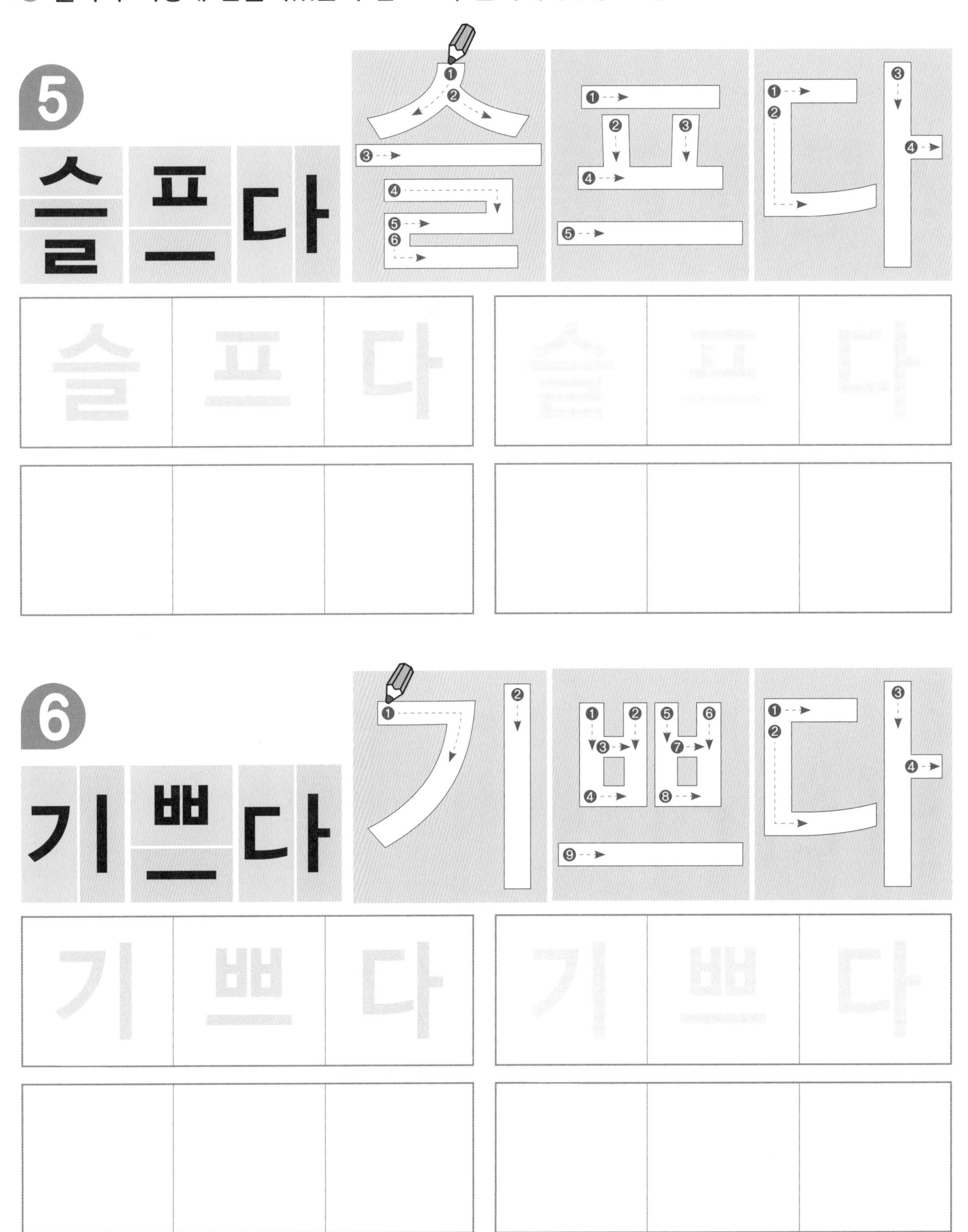

품 글자의 모양대로 따라 쓰기

빗 정확한 글자 익혀 보기

다음 그림이 나타내는 낱말을 알맞게 채워 쓰세요.

동생과 재미있게 놀 때

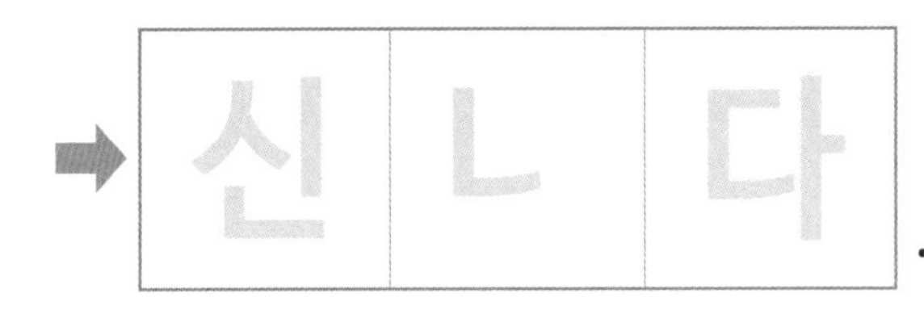

아무도 내 옆에 없을 때

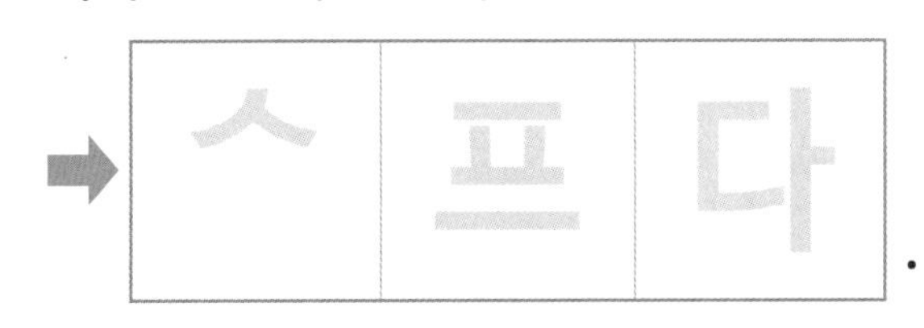

친구가 따지듯 말할 때

짝꿍이 아픈 나를 도와줄 때

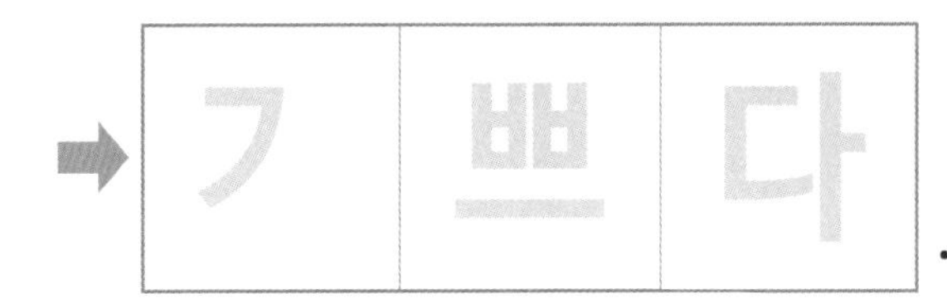

TIP **이렇게 지도하세요!** 아이에게 언제 즐거운 기분, 놀란 기분, 슬프고 화나는 기분이 드는지 물어봐 주시고, 일상생활에서도 기분을 나타내는 낱말을 두루 적용하여 사용하도록 지도해 주세요.

✔ 그림을 보고, 빈칸에 알맞은 말을 **보기**에서 찾아 쓰고 문장을 만들어 보세요.

보기 즐겁다 화나다 놀라다 슬프다

❶ 누리는 모래놀이를 해서 [| |].

❷ 수아가 친구를 보고 깜짝 [| |].

❸ 진호는 강아지가 사라져서 [| |].

❹ 연수는 친구가 미끄럼틀을 못 타게 해서 [| |].

TIP 이렇게 지도하세요!

신맛은 레몬을 먹는 맛, 단맛은 케이크를 먹는 맛, 쓴맛은 한약을 먹는 맛과 같이 구체적인 음식과 함께 맛을 나타내는 말을 떠올리며 그림 속 낱말을 따라 쓰게 해 주세요. 그리고 아이가 평소에 음식을 먹고 어떤 느낌이 들었는지 자유롭게 표현하게 해 주시고, '느끼하다', '새콤달콤하다'와 같은 관련 낱말도 다양하게 알려 주세요.

맵다
짜다
소금
싱겁다

상상 글자의 짜임 알아보기

✔ 글자가 어떻게 만들어졌는지 잘 보고, 순서에 맞게 쓰세요.

TIP 이렇게 지도하세요! 아이가 맛을 표현하는 낱말의 뜻부터 정확히 기억하도록 도와주세요. 그리고 글자 쓰는 순서를 쉽게 익히도록 부모님께서 'ㄹ'이나 'ㅂ', 'ㅐ'와 같은 어려운 글자를 쓰는 시범을 보여 주세요.

상 글자의 짜임

알아보기

✔ 글자가 어떻게 만들어졌는지 잘 보고, 순서에 맞게 쓰세요.

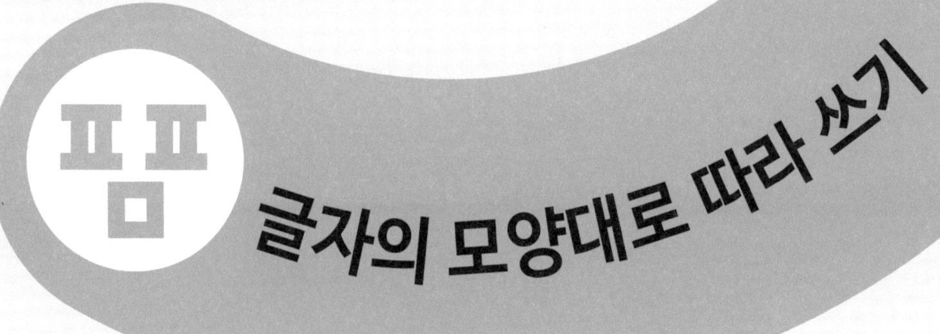
풀폼
글자의 모양대로 따라 쓰기

쓰다
쓰다
달다
달다
시다
시다
맵다
맵다
짜다
짜다
싱겁다

빳빳 정확한 글자 익혀 보기

✅ 다음 그림에 알맞은 낱말을 찾아 선으로 잇고, 글자를 따라 쓰세요.

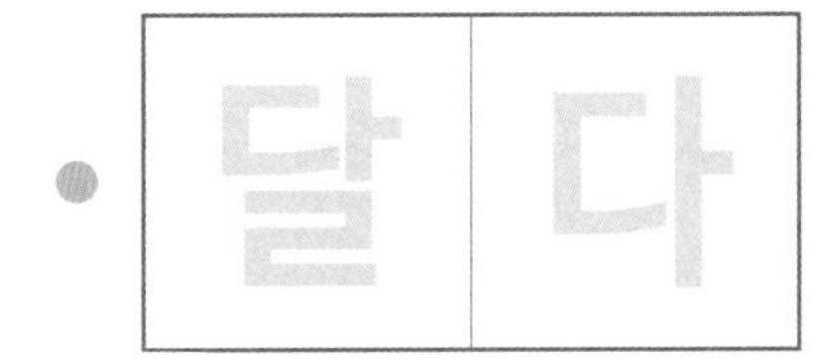

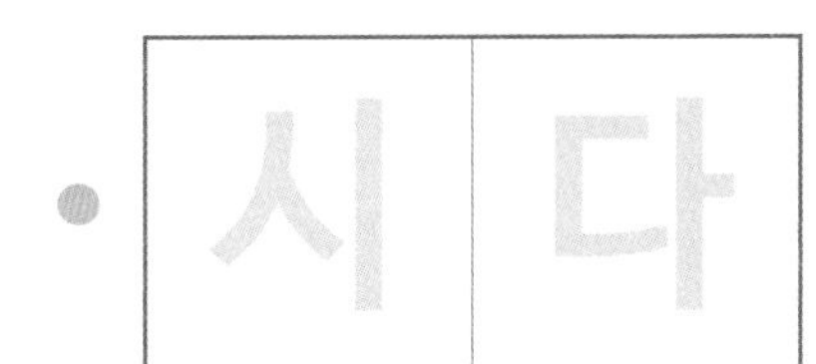

✅ 다음 그림에 알맞은 낱말을 바르게 쓴 것을 찾아 ○표 하고, 글자를 따라 쓰세요.

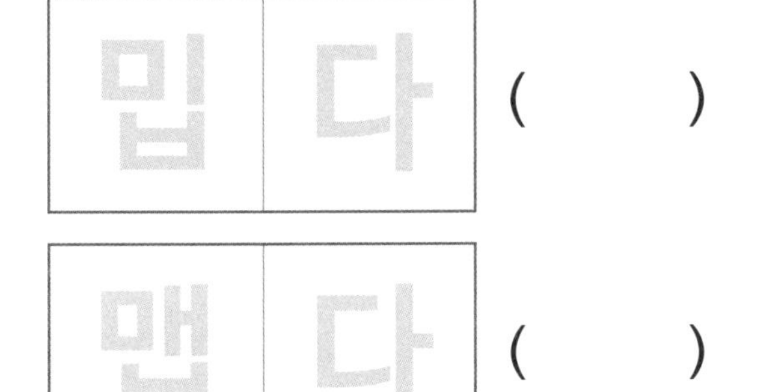

( )
( )

신겁다 ( )
싱겁다 ( )

TIP **이렇게 지도하세요!** 아이가 직접 다양한 음식을 탐색하고, 음식의 맛을 표현하는 말이 많이 있다는 것을 이해하게 해 주세요. 그리고 일상생활에서 여러 낱말을 쓰며 직접 활용하도록 지도해 주세요.

그림을 보고, 빈칸에 알맞은 말을 **보기**에서 찾아 쓰고 문장을 만들어 보세요.

보기 짜다 맵다 달다 쓰다

1. 규연이가 먹은 한약 맛은 ☐☐.

2. 수호가 먹은 케이크는 매우 ☐☐.

3. 떡볶이에 고추장이 들어가서 ☐☐.

4. 민희가 소금을 콕 찍어 맛보니 ☐☐.

그림을 그려요
ㅎㅅㅎ
그리다
노랗다
빨갛다

TIP 이렇게 지도하세요!

아이와 색연필이나 물감을 살펴보면서 '노랗다', '빨갛다'와 같은 색깔을 먼저 이야기해 보고, '긋다'와 '그리다', '칠하다'의 차이가 무엇인지 알려 주세요. 그런 다음 그림 속 낱말을 따라 쓰고, 모양을 나타내는 말인 '동그랗다', '네모나다', '세모나다' 등도 생각해 보게 해 주세요.

상 글자의 짜임 알아보기

글자가 어떻게 만들어졌는지 잘 보고, 순서에 맞게 쓰세요.

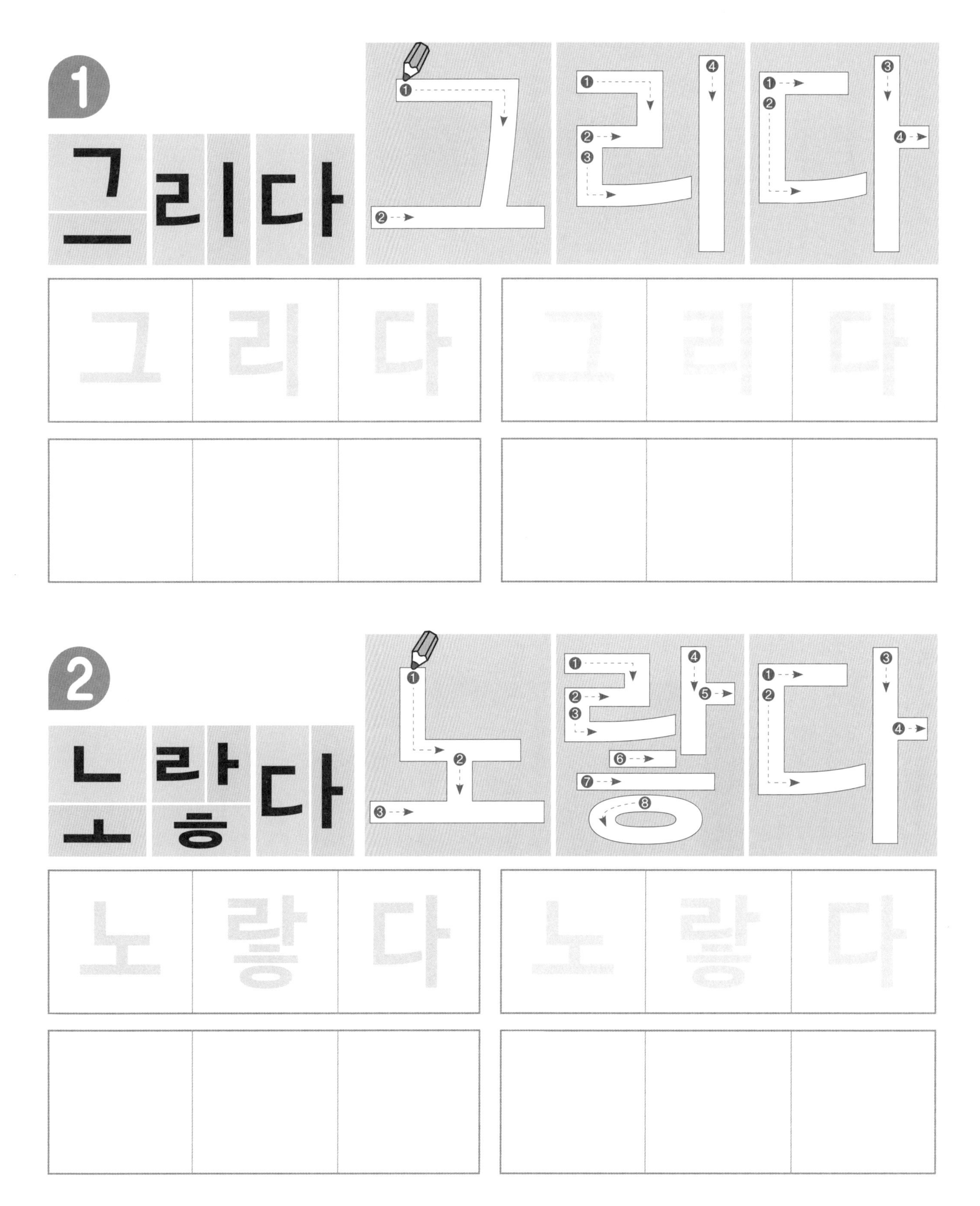

TIP **이렇게 지도하세요!** '노랗다'는 노란 색연필로, '빨갛다'는 빨간 색연필로 써 보게 하여 아이가 글자 쓰는 순서뿐만 아니라 낱말의 뜻을 정확히 알게 해 주세요. 그리고 받침 'ㅎ'이 들어가는 낱말을 잘 기억하게 해 주세요.

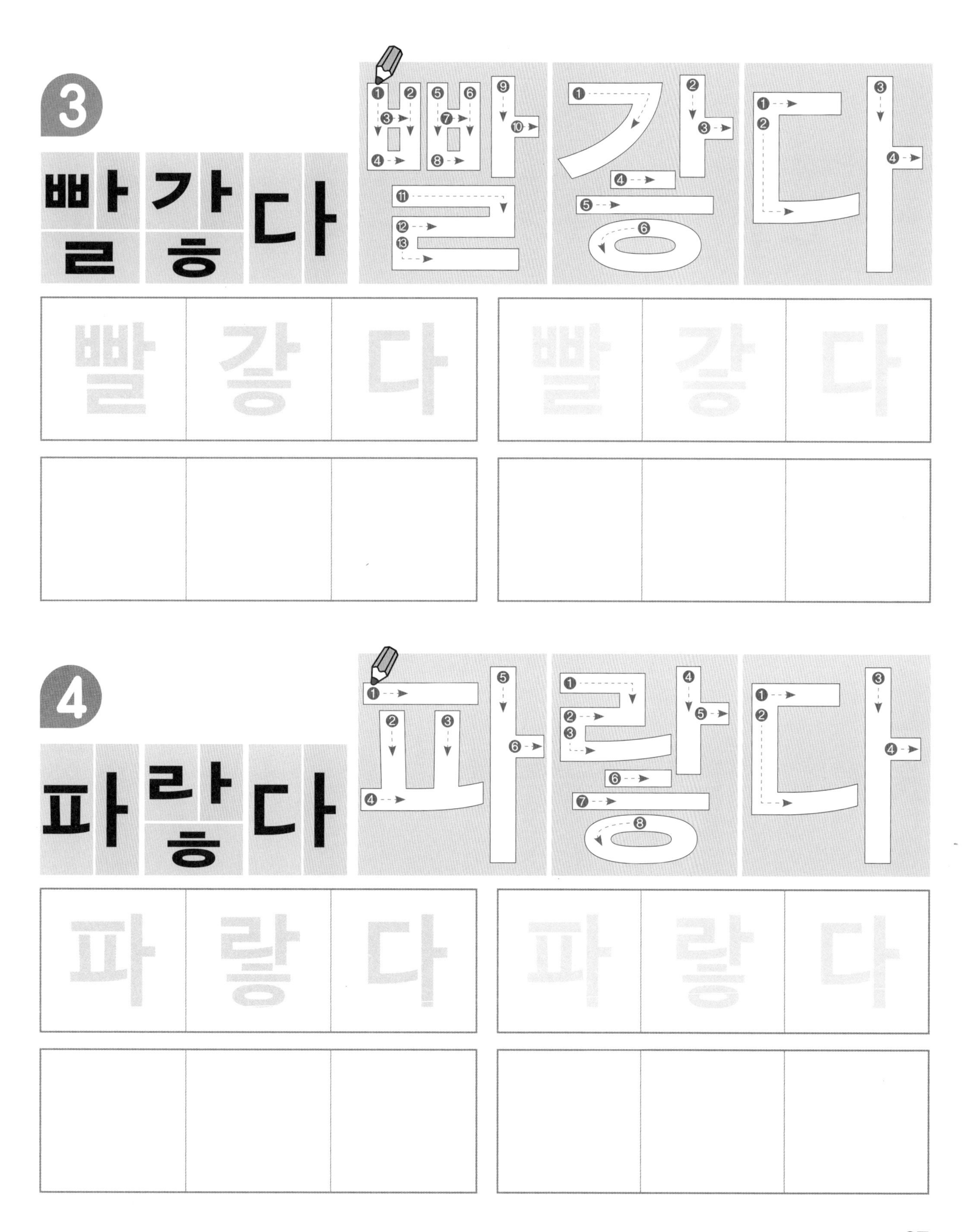

상 글자의 짜임 알아보기

✔ 글자가 어떻게 만들어졌는지 잘 보고, 순서에 맞게 쓰세요.

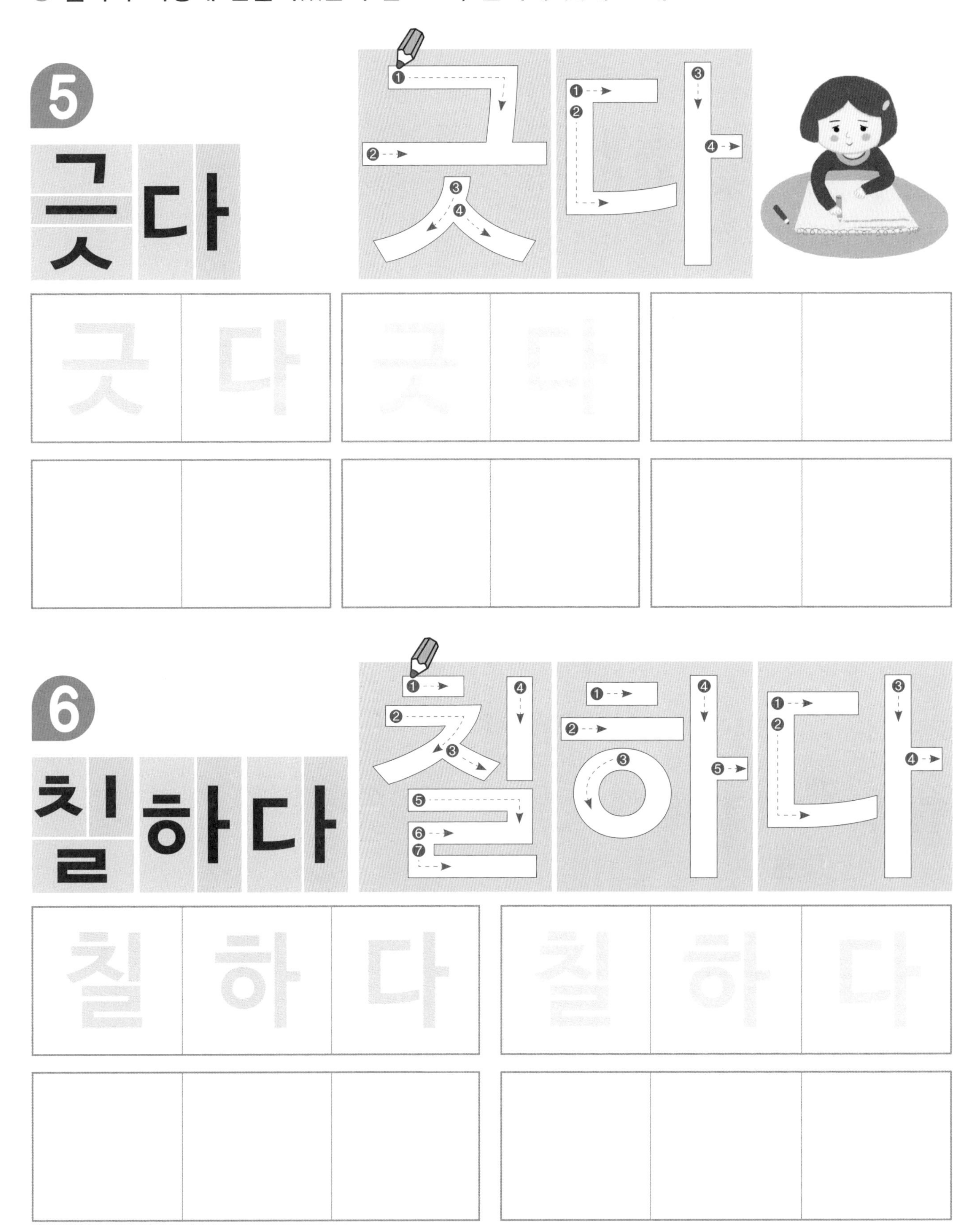

글자의 모양대로 따라 쓰기

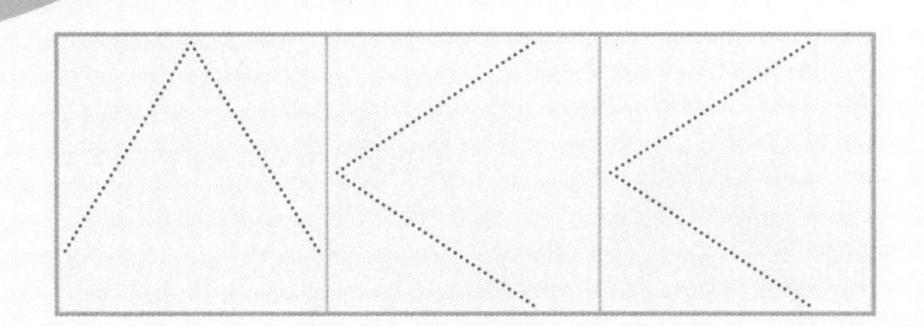

노 랗 다

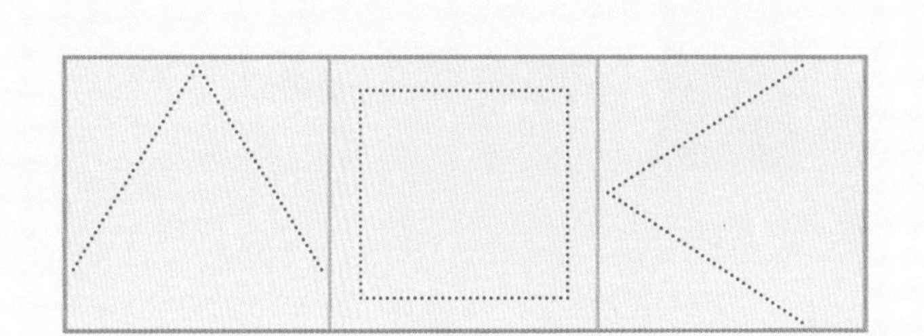

빨 갛 다

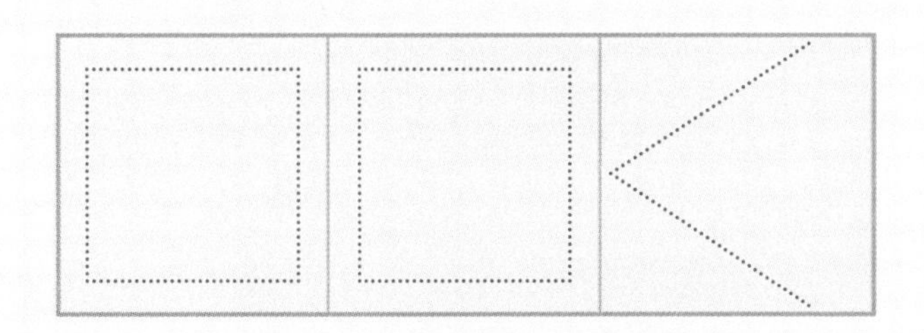

파 랗 다

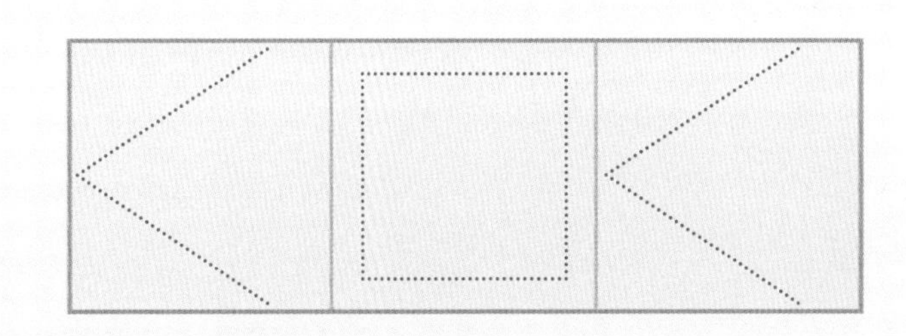

긋 다

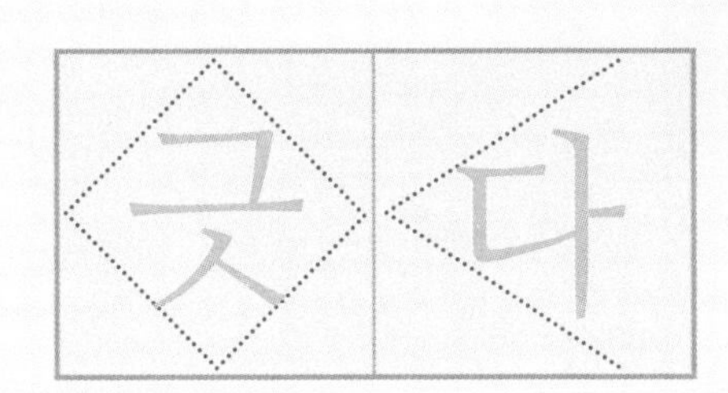

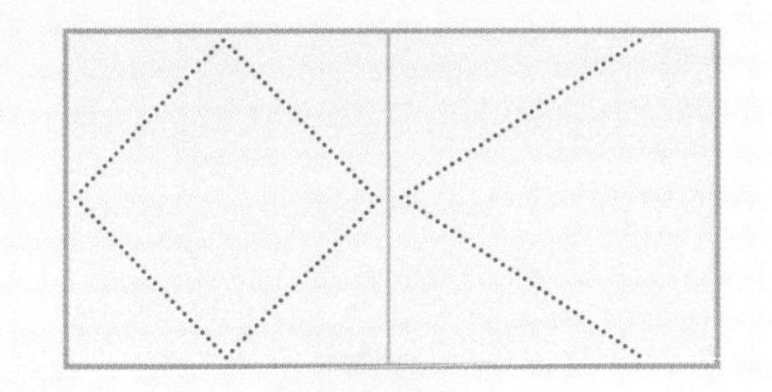

칠 하 다

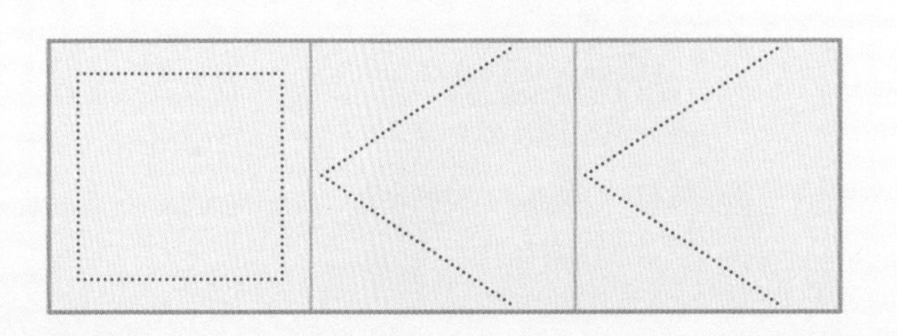

✔ 다음 그림에 알맞은 낱말을 찾아 선으로 잇고, 글자를 따라 쓰세요.

그	리	다

지	우	다

빨	갛	다

파	랗	다

노	랗	다

까	맣	다

상	하	다

칠	하	다

TIP 이렇게 지도하세요! 아이와 각각의 색깔이 어울리는 사물이나 배경에 대해 이야기하며 아이가 풍부한 어휘를 사용하게 해 주세요. 그리고 복잡한 글자도 하나씩 천천히 잘 쓰도록 지도해 주세요.

그림을 보고, 빈칸에 알맞은 말을 보기에서 찾아 쓰고 문장을 만들어 보세요.

보기 빨갛다 그리다 파랗다 긋다

1. 윤서가 나무를 [   ][   ][   ].
2. 연우가 스케치북에 선을 [   ][   ].
3. 현규가 색칠하는 사과는 [   ][   ][   ].
4. 찬수가 색칠하는 지붕의 색깔이 [   ][   ][   ].

날씨를 느껴요

그 치 다

빛 나 다

덥 다

TIP 이렇게 지도하세요!

우리나라의 봄, 여름, 가을, 겨울의 날씨가 어떠한지 아이가 다양한 낱말로 대답할 수 있게 질문해 주세요. 그리고 '춥다', '덥다'뿐만 아니라 '시원하다', '포근하다' 등과 같은 말의 뜻도 생각해 보게 해 주세요. 날씨에 대해 자유롭게 이야기를 나눈 다음 그림 속 낱말을 읽고, 따라 쓰도록 지도해 주세요.

알아보기

상 글자의 짜임

글자가 어떻게 만들어졌는지 잘 보고, 순서에 맞게 쓰세요.

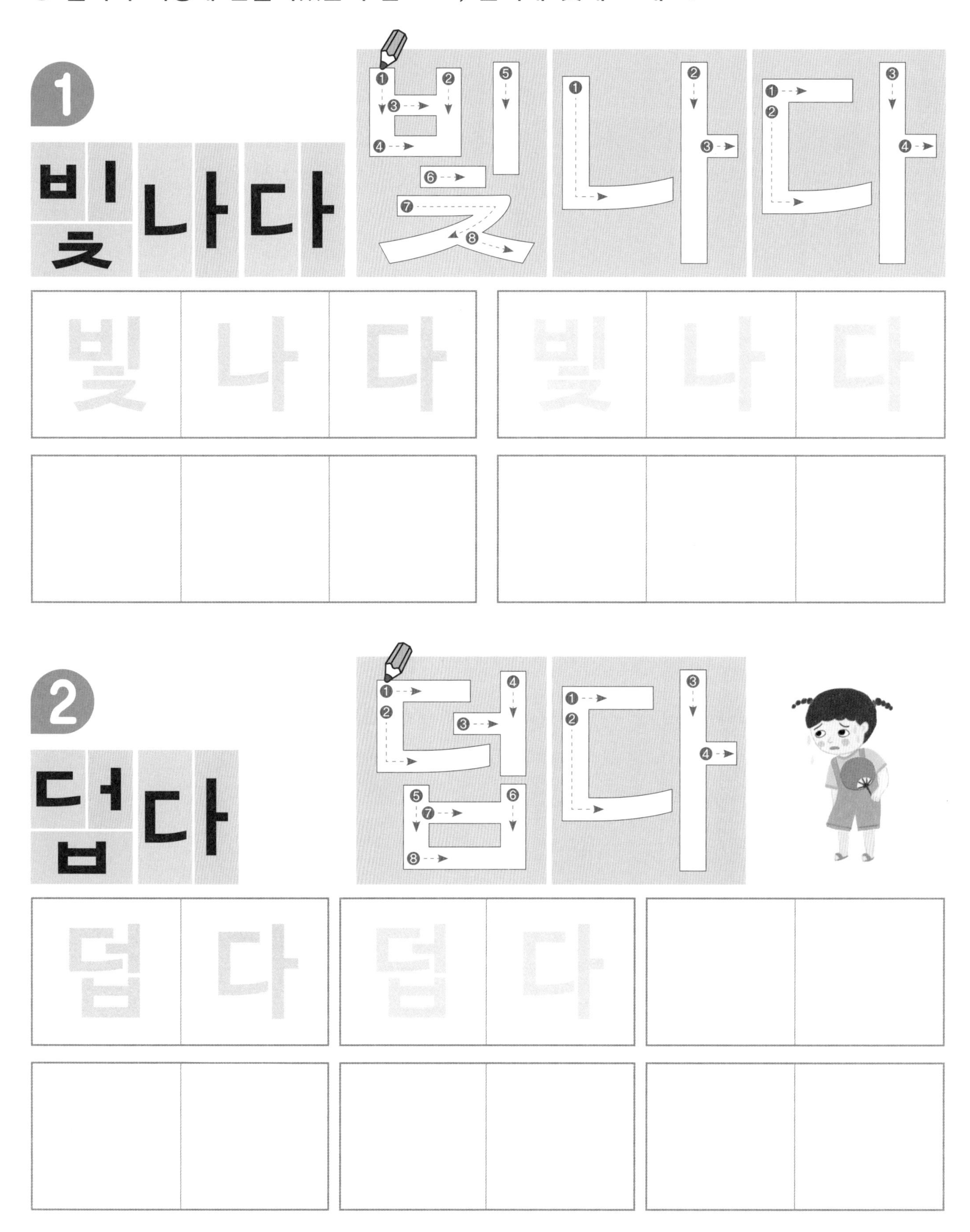

TIP 이렇게 지도하세요! "어떤 날씨가 좋니?", "겨울 날씨는 어떠하지?"와 같은 질문을 통해 아이가 낱말의 뜻을 정확하게 알고 글자를 쓰도록 도와주세요. 그리고 'ㅊ'이나 'ㅎ'을 바른 모양으로 쓰도록 지도해 주세요.

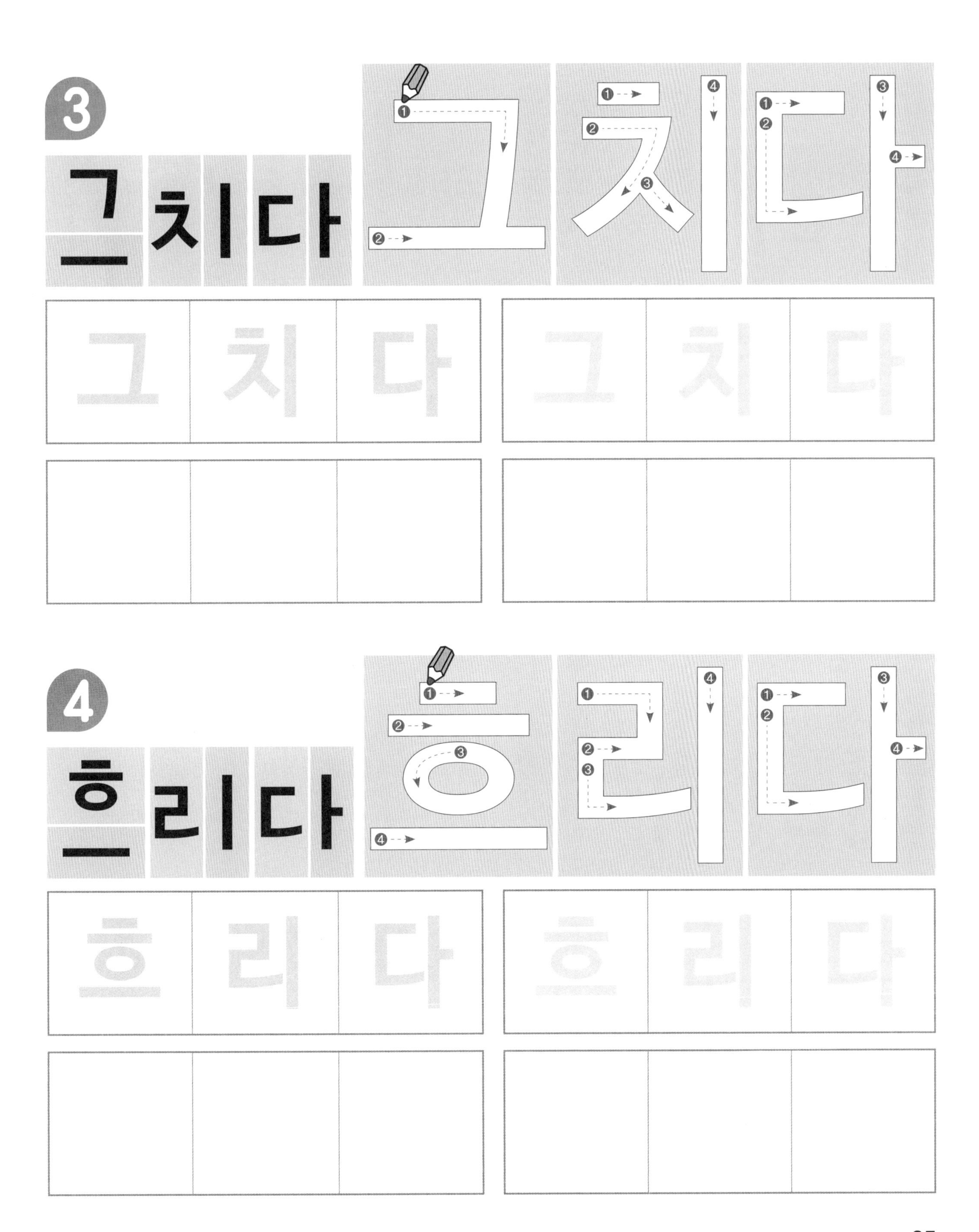

상 글자의 짜임 알아보기

글자가 어떻게 만들어졌는지 잘 보고, 순서에 맞게 쓰세요.

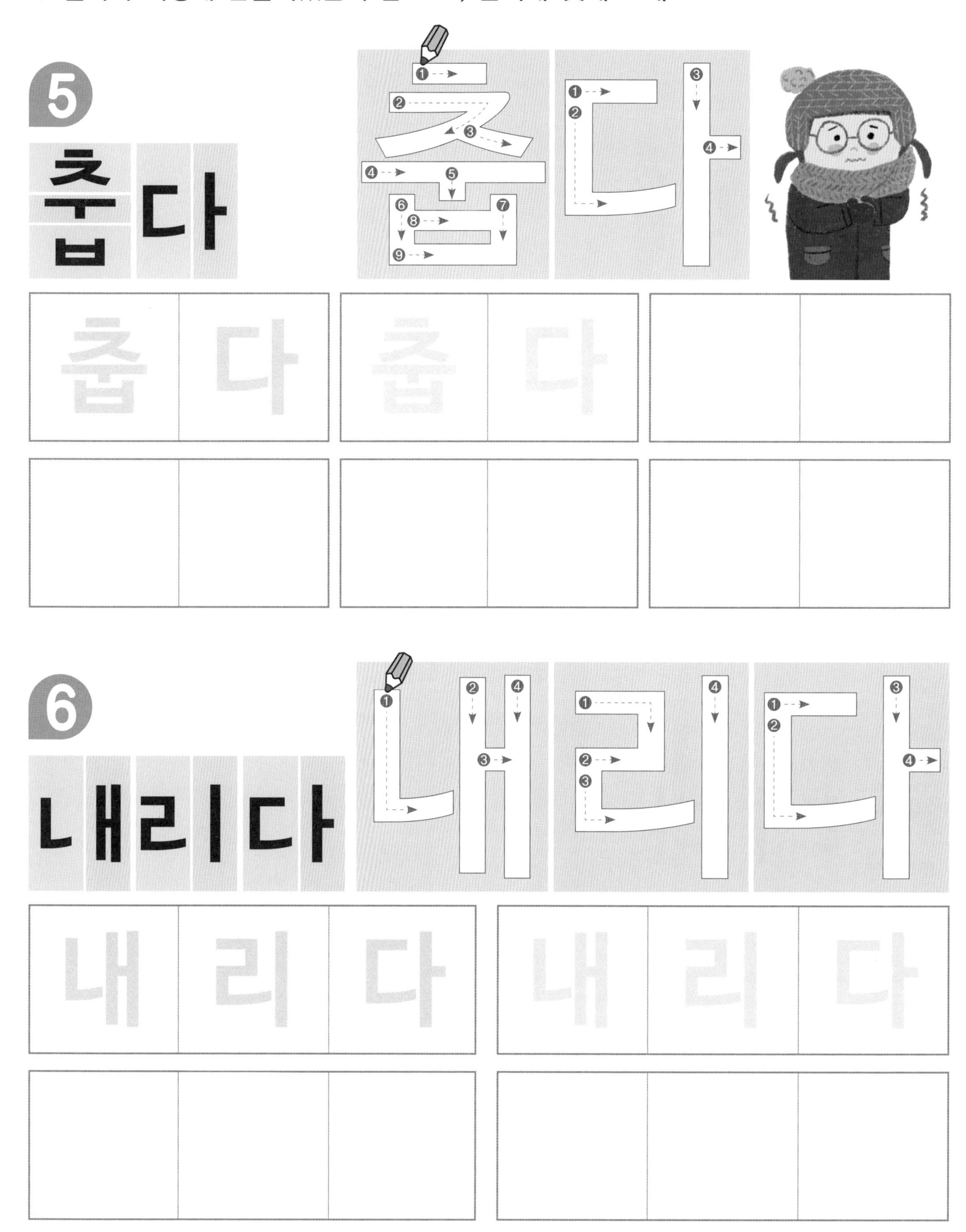

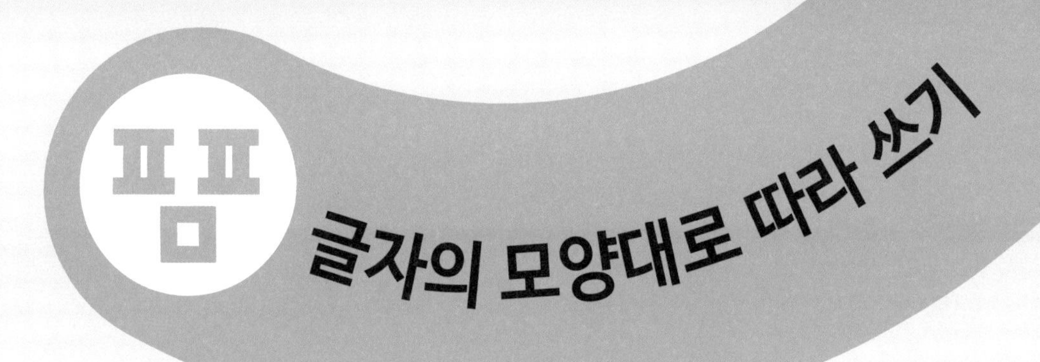

빛 나 다

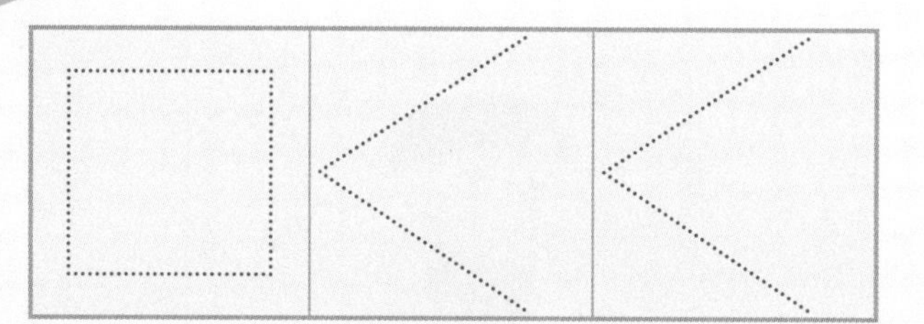

덮 다

덮 다

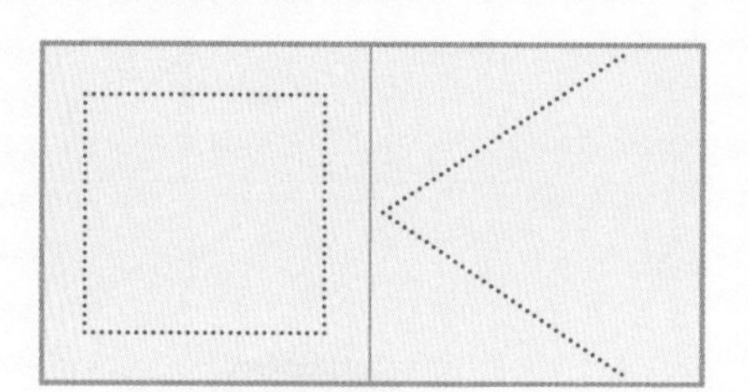

그 치 다

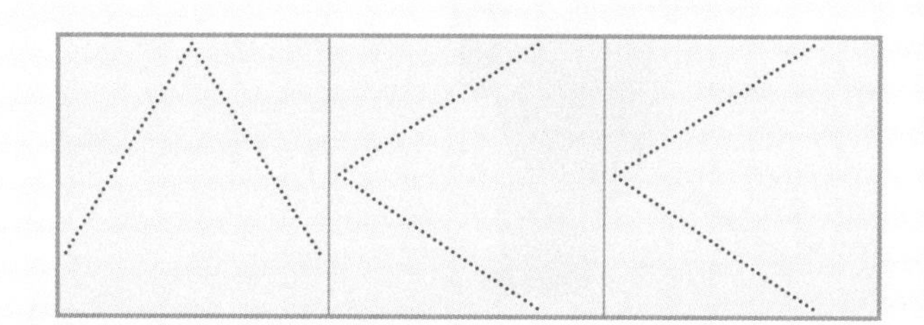

흐 리 다

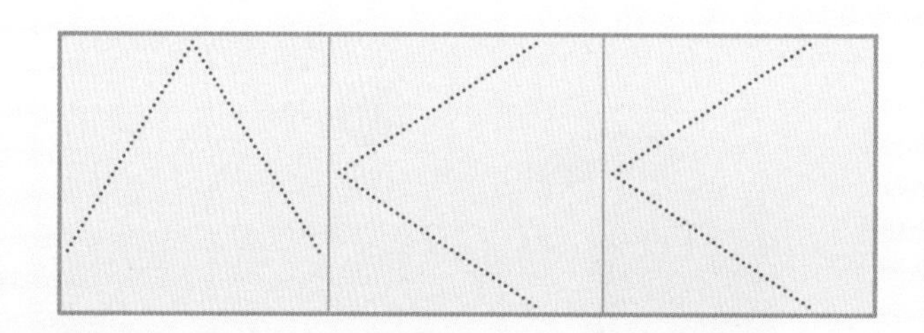

춥 다

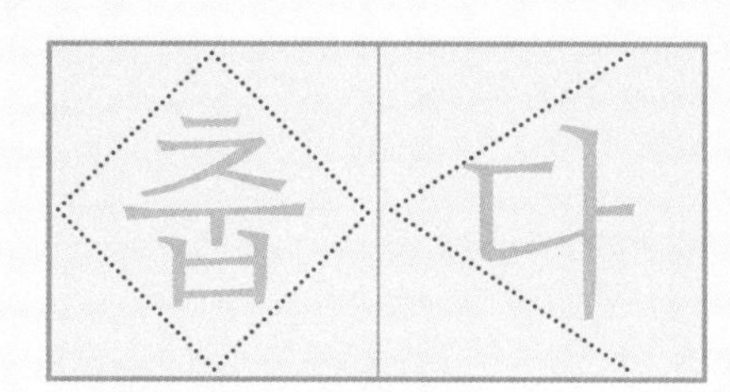

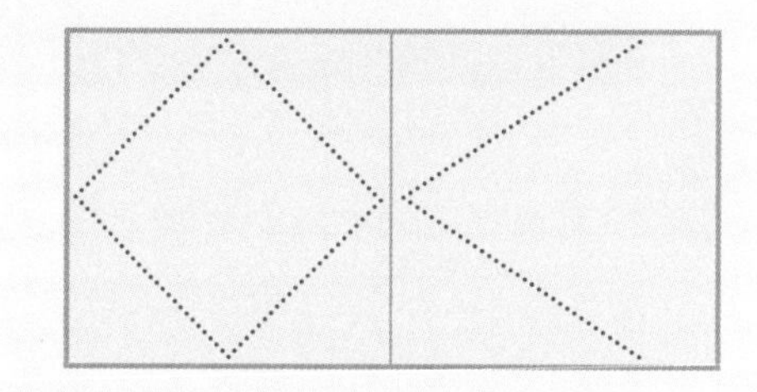

내 리 다

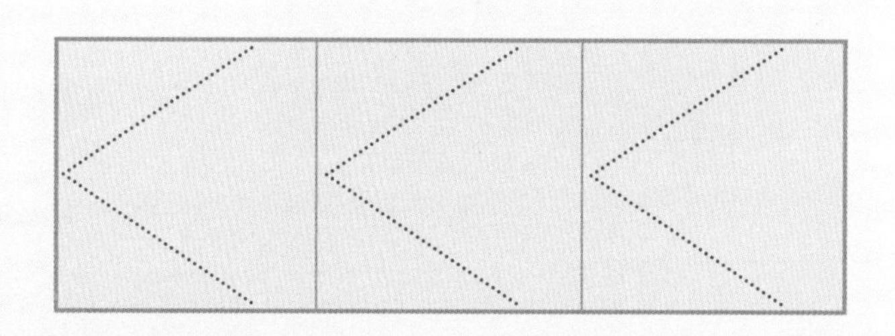

빳빳 정확한 글자 익혀 보기

다음 그림이 나타내는 낱말을 알맞게 채워 쓰세요.

몸에 땀이 송골송골 돋게

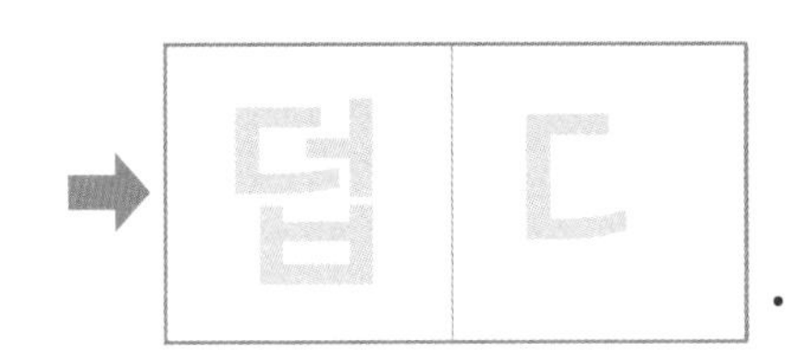

.

한겨울에 몸이 오들오들 떨리게

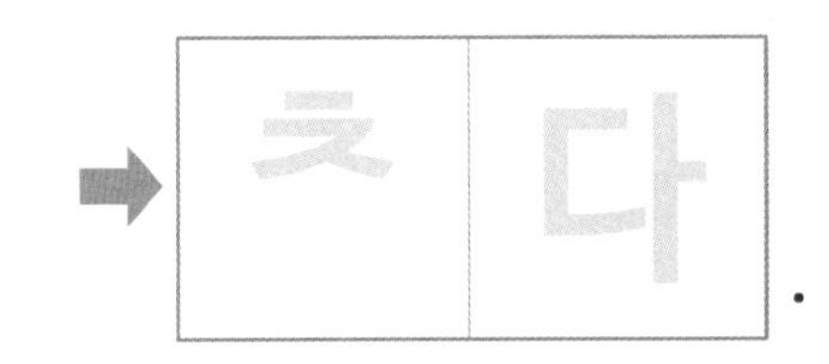

.

햇살이 반짝반짝

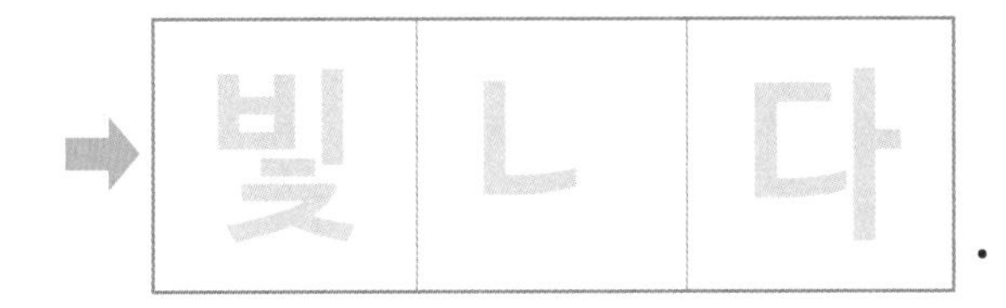

.

온 세상에 하얀 눈이 펄펄

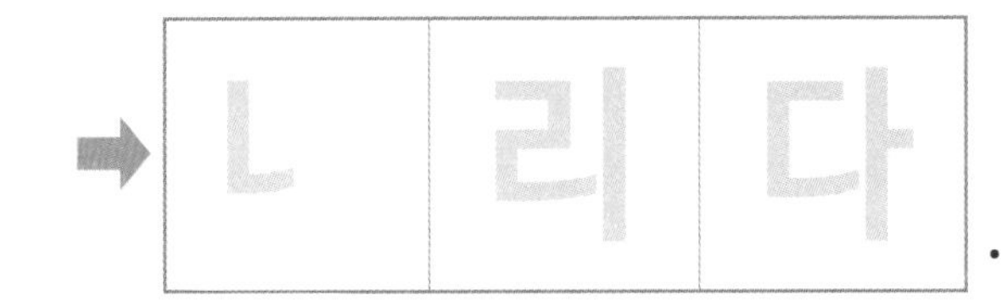

.

TIP **이렇게 지도하세요!** '빛나다', '흐리다', '내리다'의 경우 여러 상황에서 활용될 수 있는 낱말이므로 다양한 예와 함께 설명해 주세요. 그리고 그림을 다시 보며 앞서 익힌 낱말을 잘 기억하는지 확인해 주세요.

그림을 보고, 빈칸에 알맞은 말을 **보기**에서 찾아 쓰고 문장을 만들어 보세요.

보기 그치다 덥다 춥다 흐리다

❶ 수연이의 몸이 벌벌 떨리게 [ ][ ].

❷ 갑자기 내리던 소나기가 [ ][ ][ ].

❸ 진영이가 있는 곳은 날씨가 매우 [ ][ ].

❹ 하늘에 먹구름이 끼어 날씨가 [ ][ ][ ].

옷을 입어요 핫

쓰다

입다

신다

TIP 이렇게 지도하세요!

아이에게 '옷을 입다', '신발을 신다', '모자를 쓰다', '가방을 메다'와 같이 함께 어울리는 낱말의 짝이 있음을 알려 주세요. 또 '입다', '신다', '쓰다', '메다'의 반대말이 무엇인지도 함께 생각해 보도록 지도해 주세요. 그런 다음 그림 속 낱말을 읽고, 따라 쓰도록 지도해 주세요.

상 글자의 짜임 알아보기

글자가 어떻게 만들어졌는지 잘 보고, 순서에 맞게 쓰세요.

1 입다

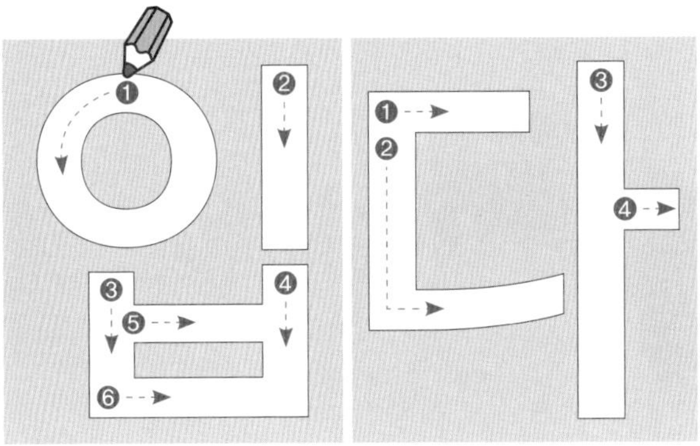

입다 입다

2 쓰다

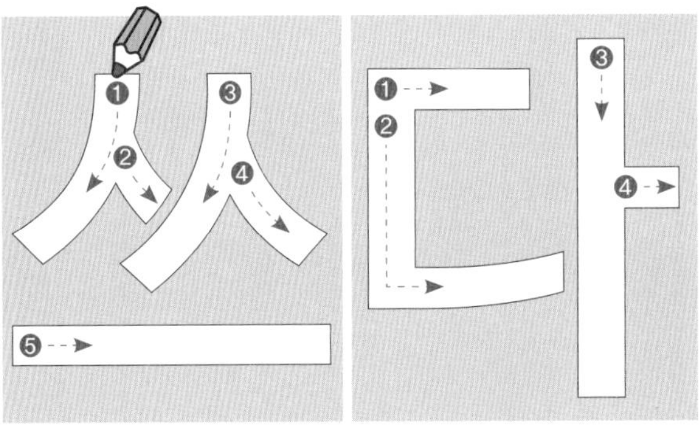

쓰다 쓰다

TIP **이렇게 지도하세요!** 옷을 입는 동작과 관련한 다양한 낱말을 순서대로 바르게 쓰면서 크게 읽어 보도록 지도해 주세요. 'ㅆ'이나 'ㄲ' 같은 쌍자음의 경우에는 자음 두 개를 나란히 쓰도록 가르쳐 주세요.

3 신다

신다

신	다	신	다		

4 끼다

끼다

끼	다	끼	다		

알아보기

상 글자의 짜임

글자가 어떻게 만들어졌는지 잘 보고, 순서에 맞게 쓰세요.

5

메다

메 다 메 다

6

걸다

걸 다 걸 다

폼 글자의 모양대로 따라 쓰기

빠빠 정확한 글자 익혀 보기

다음 그림에 알맞은 낱말을 찾아 선으로 잇고, 글자를 따라 쓰세요.

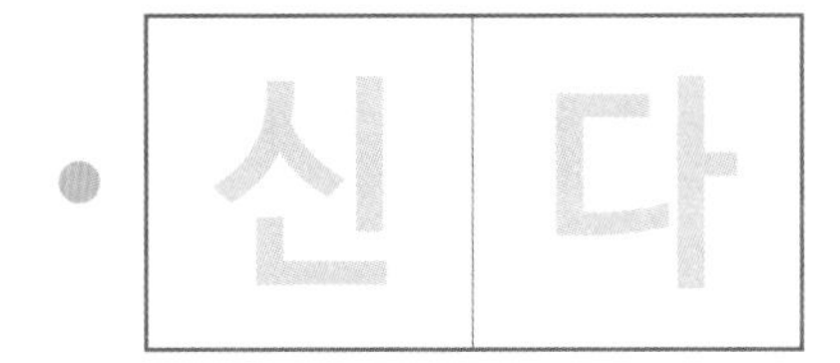

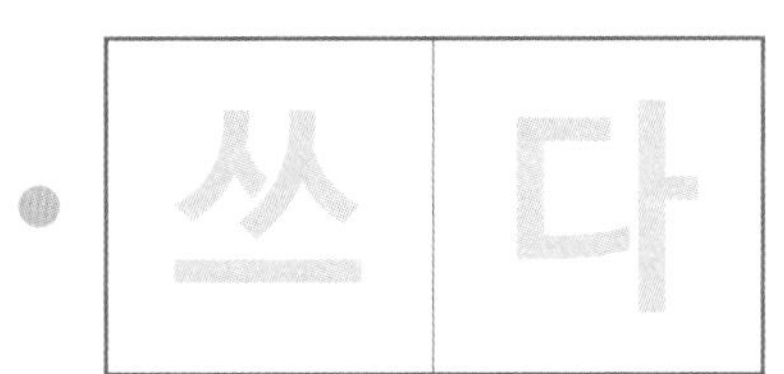

다음 그림에 알맞은 낱말을 바르게 쓴 것을 찾아 ○표 하고, 글자를 따라 쓰세요.

밀 다 (　　)

메 다 (　　)

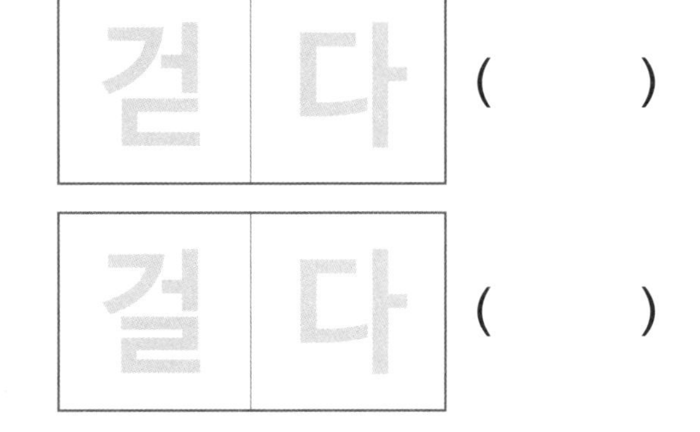

TIP **이렇게 지도하세요!** '줄무늬 조끼를 입다', '리본이 달린 모자를 쓰다' 등 낱말을 활용해 다양한 문장을 만들어 보도록 지도해 주세요. '쓰다'의 경우 맛을 나타내는 낱말과 형태는 같지만 뜻이 다르다는 것도 설명해 주세요.

✔ 그림을 보고, 빈칸에 알맞은 말을 **보기** 에서 찾아 쓰고 문장을 만들어 보세요.

보기 입다 걸다 쓰다 끼다

❶ 진우가 조끼를 ☐☐.

❷ 손이 따뜻하라고 장갑을 ☐☐.

❸ 경은이가 예쁜 모자를 머리에 ☐☐.

❹ 희아가 하트 모양 목걸이를 목에 ☐☐.

물건을 사요 ㅎㅅ

TIP 이렇게 지도하세요!

아이가 마트나 장난감 가게에 가서 물건을 산 경험을 먼저 떠올려 보게 해 주세요. 그리고 '사다', '팔다', '싸다', '비싸다' 등의 낱말을 어떤 상황에서 사용할 수 있는지 가르쳐 주시고, 그림 속 낱말을 따라 쓰도록 지도해 주세요. 아이와 함께 시장 놀이를 하며 이외의 관련 어휘도 다양하게 익히도록 이끌어 주세요.

쌍 글자의 짜임 알아보기

글자가 어떻게 만들어졌는지 잘 보고, 순서에 맞게 쓰세요.

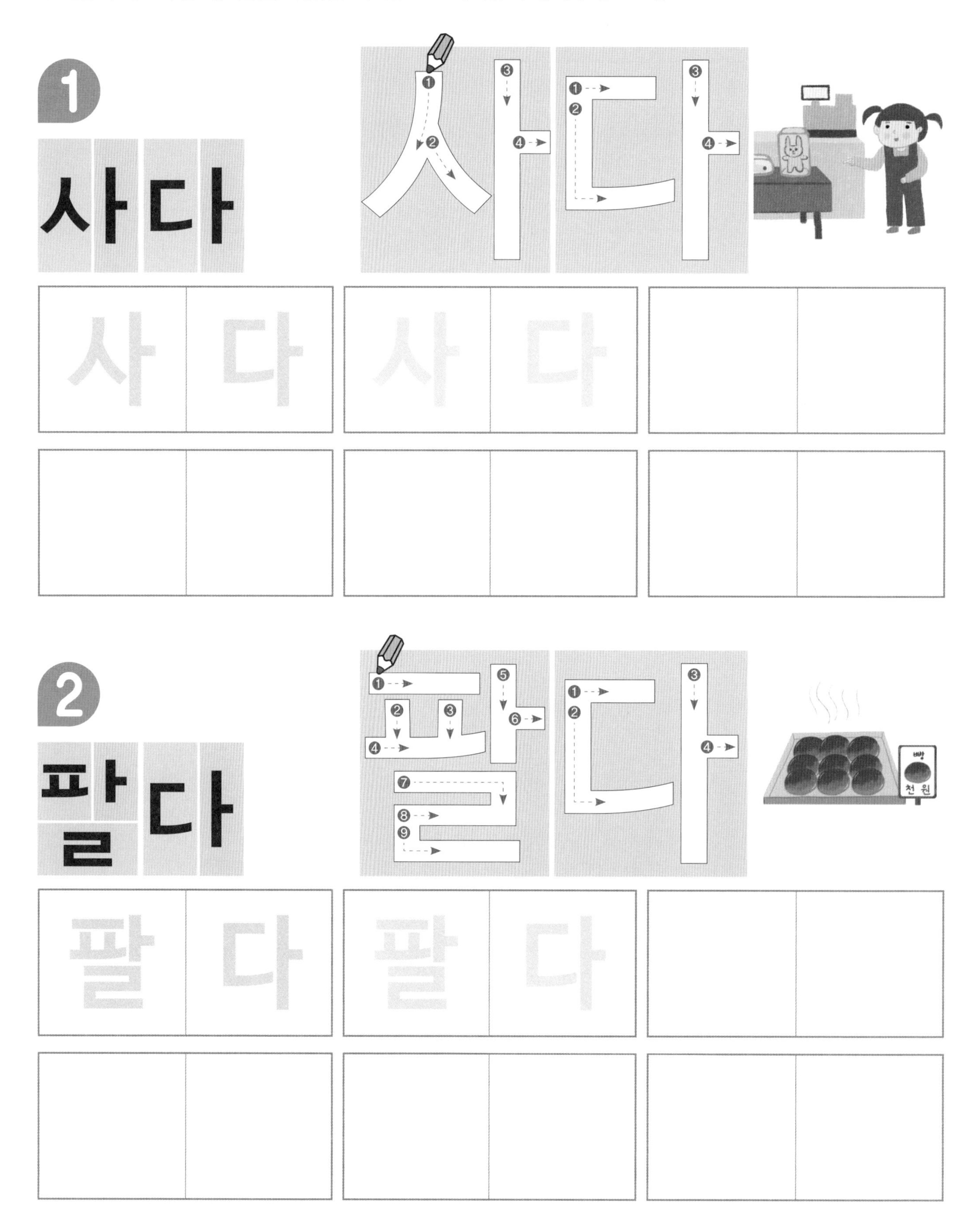

TIP 이렇게 지도하세요! 낱말이 사용되는 상황을 구체적으로 알고, 글자를 쓰는 순서에 맞게 쓰도록 지도해 주세요. 특히, '사다'와 '팔다', '비싸다'와 '싸다'는 서로 뜻이 반대인 것도 알려 주세요.

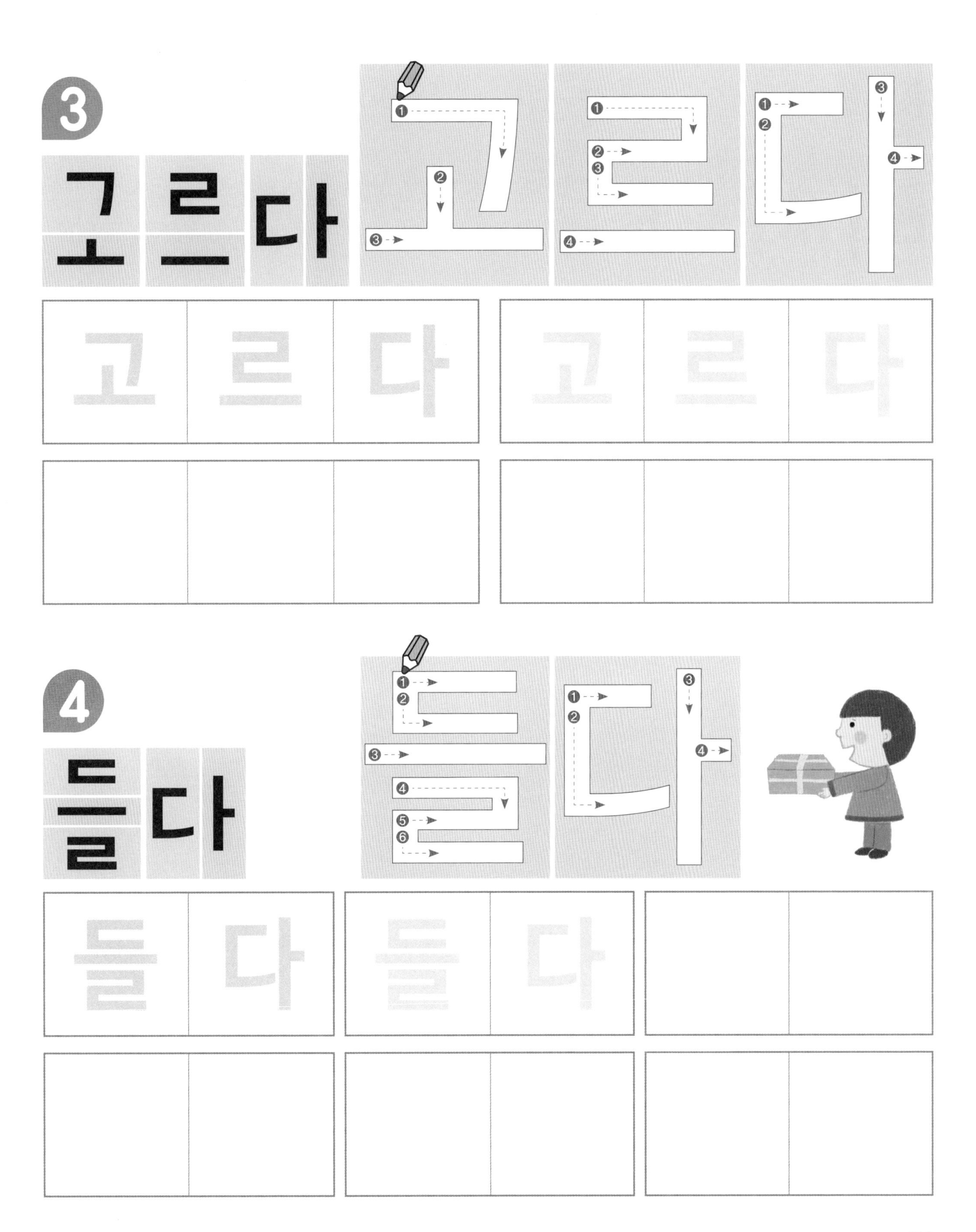

알아보기

상 글자의 짜임

글자가 어떻게 만들어졌는지 잘 보고, 순서에 맞게 쓰세요.

5

비 싸 다

비	싸	다	비	싸	다

6

싸 다

싸	다	싸	다		

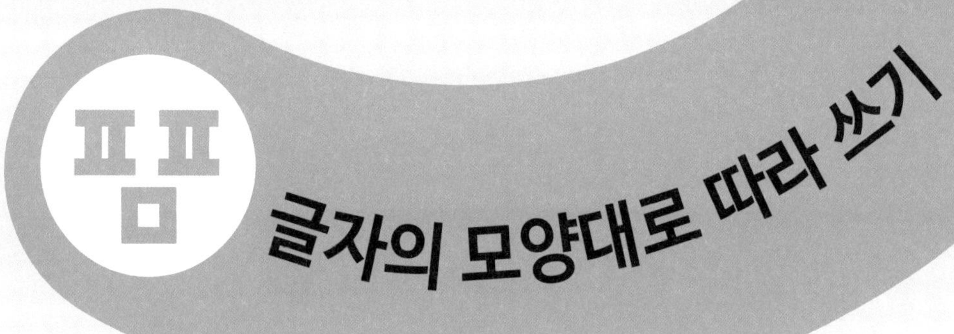
팜
글자의 모양대로 따라 쓰기

사 다
사 다
팔 다
팔 다
고 르 다
들 다
들 다
비 싸 다

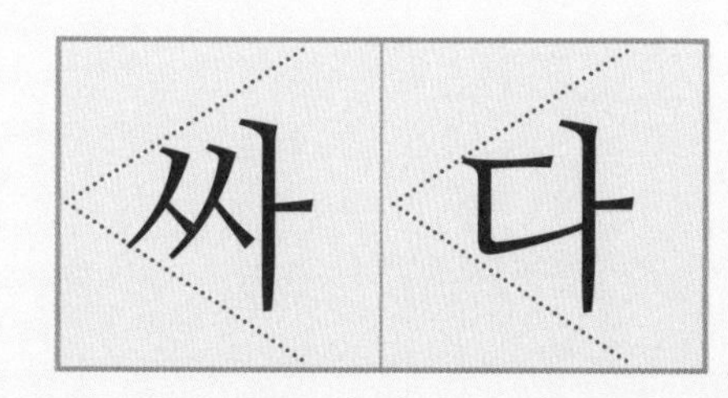
싸 다

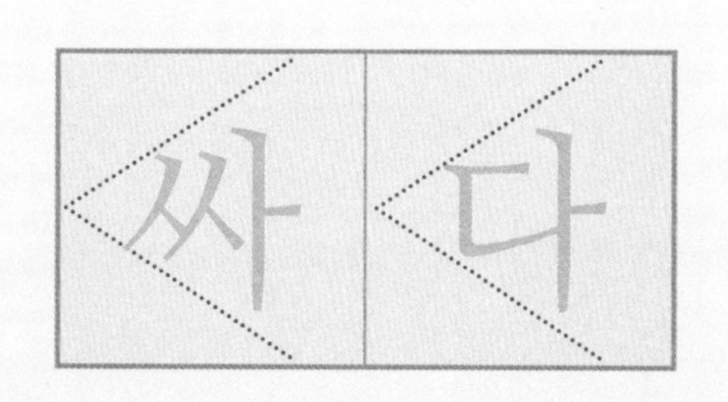
싸 다

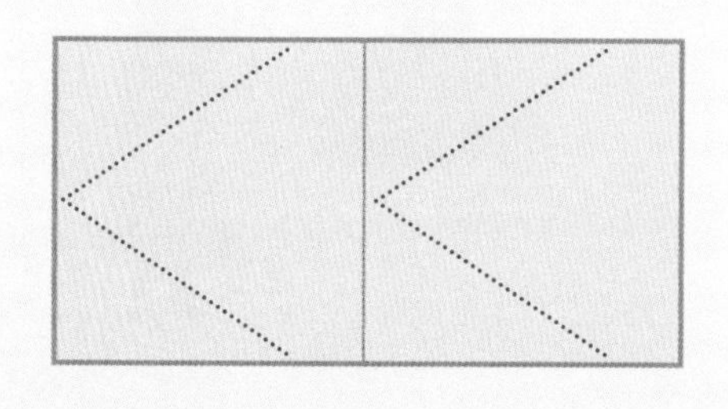

정확한 글자

익혀 보기

✓ 다음 그림에 알맞은 낱말을 찾아 선으로 잇고, 글자를 따라 쓰세요.

들	다

팔	다

✓ 다음 그림에 알맞은 낱말을 바르게 쓴 것을 찾아 ○표 하고, 글자를 따라 쓰세요.

골	르	다	(　　)
고	르	다	(　　)

비	사	다	(　　)
비	싸	다	(　　)

TIP 이렇게 지도하세요! 받침이 있는 낱말과 받침이 없는 낱말을 정확하게 쓰도록 지도해 주세요. 그리고 그림 속 친구들의 모습을 오늘 익힌 낱말을 사용하여 표현해 보도록 지도해 주세요.

✔ 그림을 보고, 빈칸에 알맞은 말을 **보기**에서 찾아 쓰고 문장을 만들어 보세요.

보기 싸다 사다 들다 고르다

❶ 영주가 장바구니를 [ ][ ].

❷ 빨간 연필이 다른 연필보다 [ ][ ].

❸ 현수가 크레파스와 스케치북을 [ ][ ].

❹ 윤후가 어떤 장난감을 살지 [ ][ ][ ].

운동을 해요
ㅎㅅㅎ
차다
던지다
돌리다

TIP 이렇게 지도하세요!

'축구공을 차다', '야구공을 던지다', '팽이를 돌리다', '줄을 당기다' 등 구체적으로 어떤 상황에서 낱말이 쓰이는지 아이와 함께 그림을 살펴봐 주시고, 따라 쓰게 해 주세요. 그리고 아이가 '던지다', '당기다'와 같은 낱말을 이미 알고 있다면 그 낱말과 뜻이 반대인 '받다', '밀다' 등의 낱말도 익히도록 지도해 주세요.

상 글자의 짜임 알아보기

✔ 글자가 어떻게 만들어졌는지 잘 보고, 순서에 맞게 쓰세요.

TIP **이렇게 지도하세요!** 아이가 '차다', '달리다', '흔들다'와 같은 동작을 나타내는 낱말의 뜻부터 정확히 알도록 도와주세요. 그리고 글자 쓰는 순서를 차례대로 알고 있는지 지켜봐 주세요.

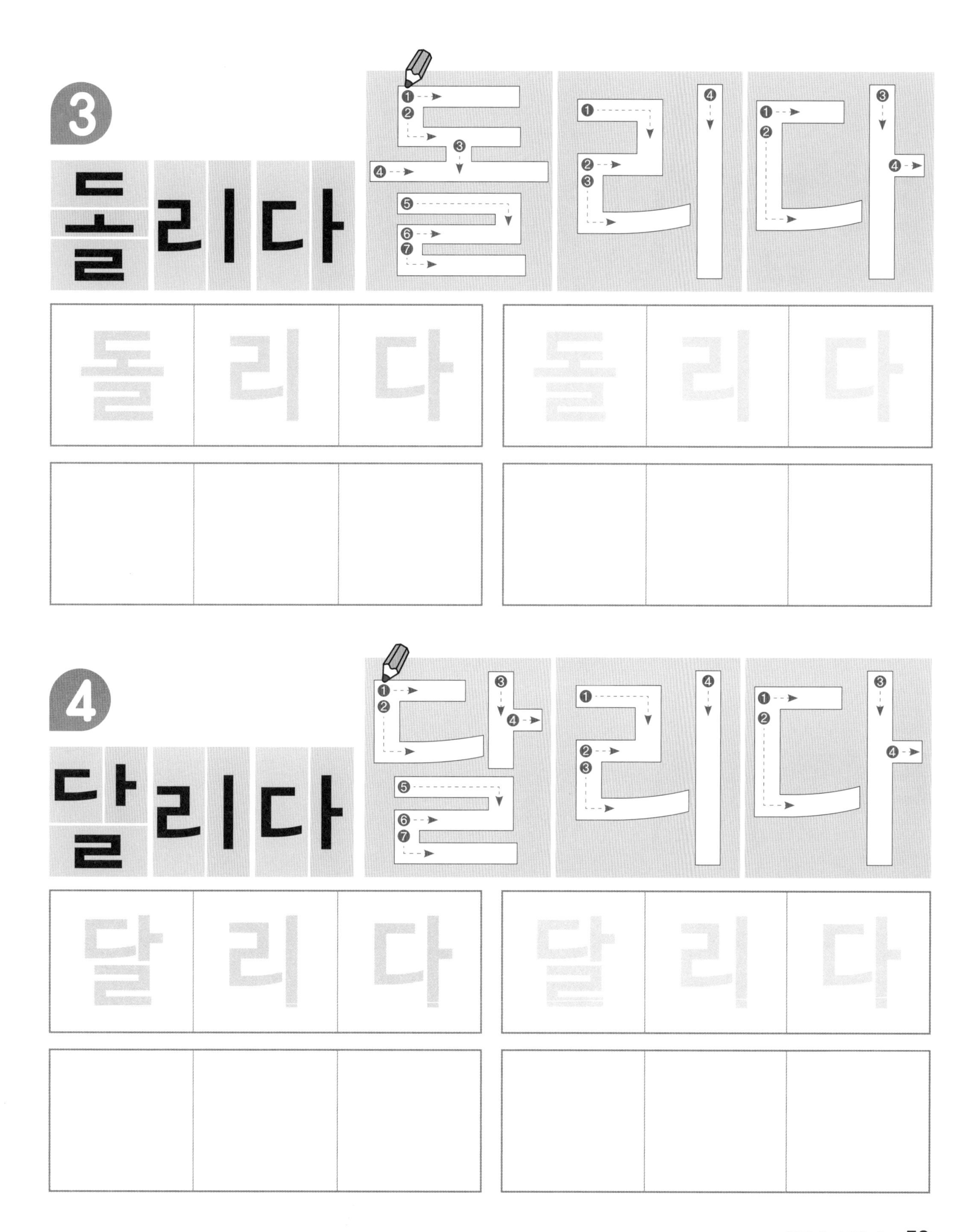

알아보기

상 글자의 짜임

글자가 어떻게 만들어졌는지 잘 보고, 순서에 맞게 쓰세요.

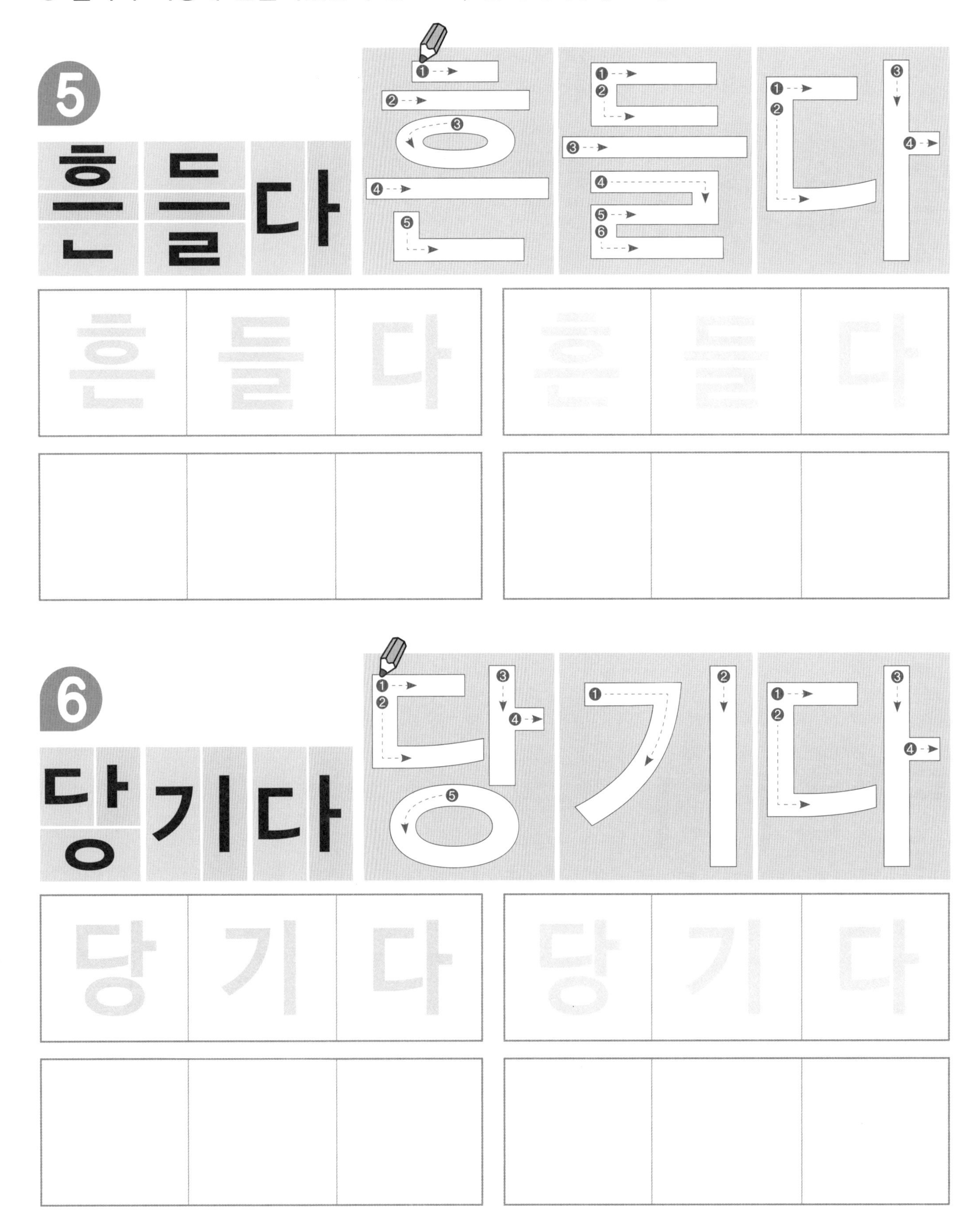

쯤쯤 글자의 모양대로 따라 쓰기

빗 정확한 글자 익혀 보기

다음 그림에 알맞은 낱말을 찾아 선으로 잇고, 글자를 따라 쓰세요.

자	다

차	다

던	지	다

달	리	다

당	기	다

누	르	다

빠	지	다

돌	리	다

TIP **이렇게 지도하세요!** '팽이를 돌리다', '훌라후프를 돌리다'와 같이 짝을 이루는 낱말을 다양하게 알려 주셔서 아이가 일상생활에서 두루 활용할 수 있게 지도해 주세요.

그림을 보고, 빈칸에 알맞은 말을 **보기**에서 찾아 쓰고 문장을 만들어 보세요.

보기 던지다 돌리다 차다 달리다

❶ 영원이가 축구공을 ☐☐.

❷ 지운이가 야구공을 ☐☐☐.

❸ 윤수가 가장 빠르게 ☐☐☐.

❹ 정호가 팽이를 빙글빙글 ☐☐☐.

이동을 해요
ㅎㅅㅎ

날다
타다
내리다

TIP 이렇게 지도하세요!

아이와 비행기, 기차, 자동차, 배 등 여러 가지 탈것에 대해서 이야기를 나누어 보세요. 그리고 난 다음 아이에게 '비행기가 날다', '기차에 타다', '배가 바다에 뜨다', '버스에서 내리다' 등 낱말이 활용되는 예를 구체적으로 알려 주세요. 자유롭게 이야기를 나눈 뒤 그림 속 낱말을 읽고, 따라 쓰도록 지도해 주세요.

쌍 글자의 짜임 알아보기

글자가 어떻게 만들어졌는지 잘 보고, 순서에 맞게 쓰세요.

1

날다

날다

날다 날다

2

타다

타다

타다 타다

TIP 이렇게 지도하세요! 다양한 탈것을 타 본 경험에 대한 질문을 통해 낱말에 흥미를 가지고 글자를 쓰도록 지도해 주세요. 그리고 'ㅌ'이나 'ㄸ'이 들어간 글자를 쓰는 순서를 잘 알고 있는지 확인해 주세요.

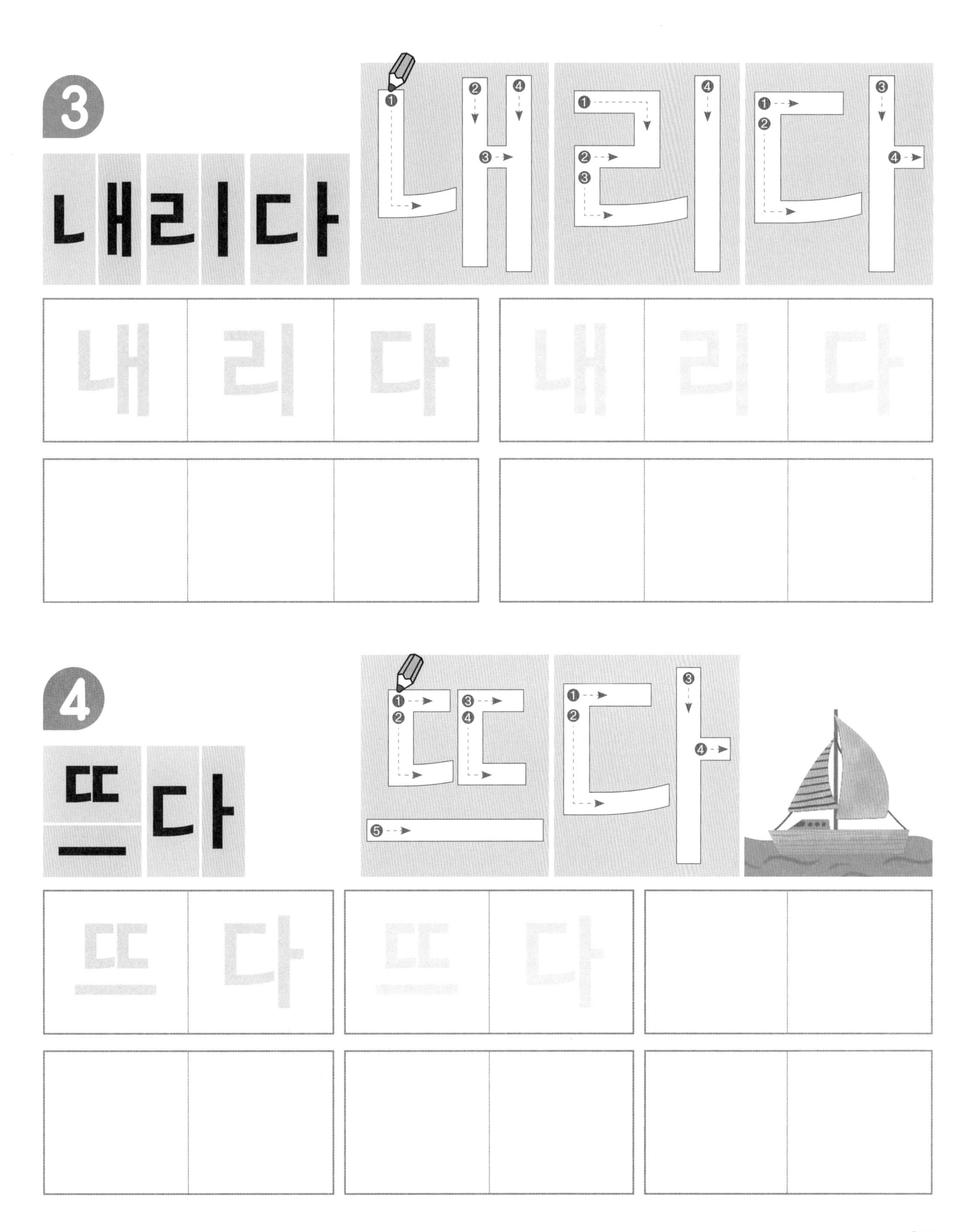

쌍 글자의 짜임

알아보기

글자가 어떻게 만들어졌는지 잘 보고, 순서에 맞게 쓰세요.

5

건너다

건	너	다	건	너	다

6

걷다

걷	다	걷	다		

글자의 모양대로 따라 쓰기

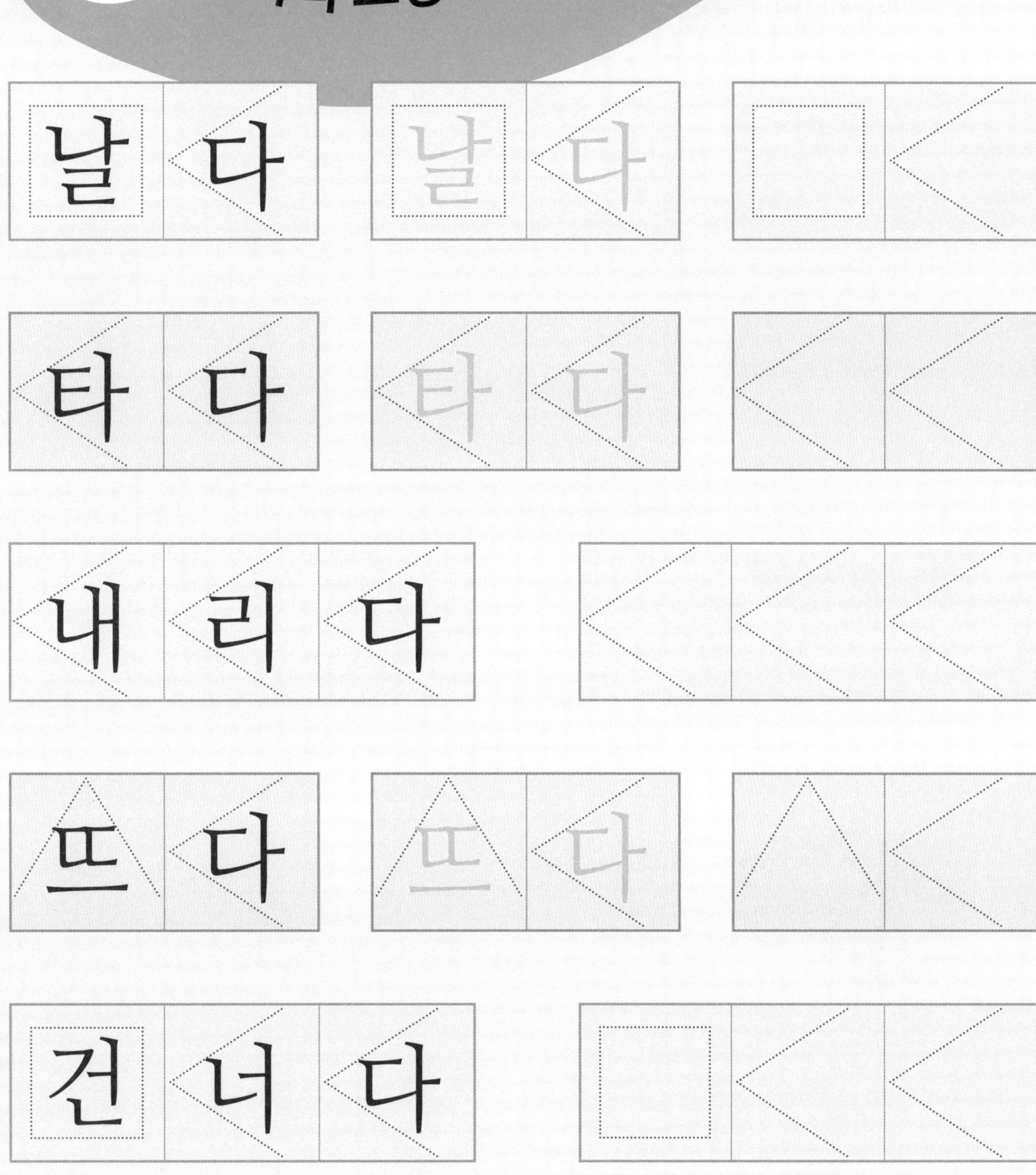

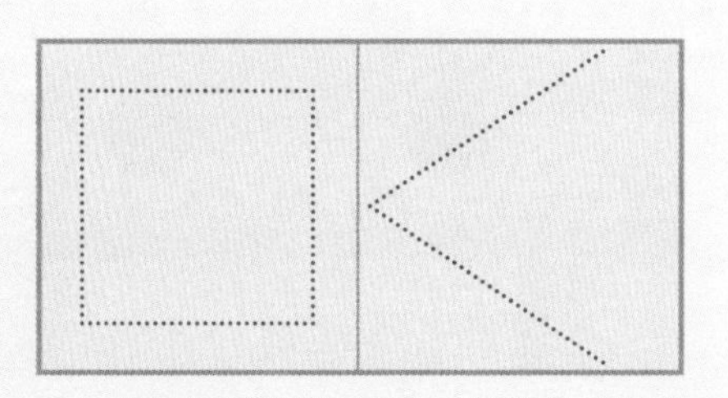

정확한 글자

다음 그림에 알맞은 낱말을 찾아 선으로 잇고, 글자를 따라 쓰세요.

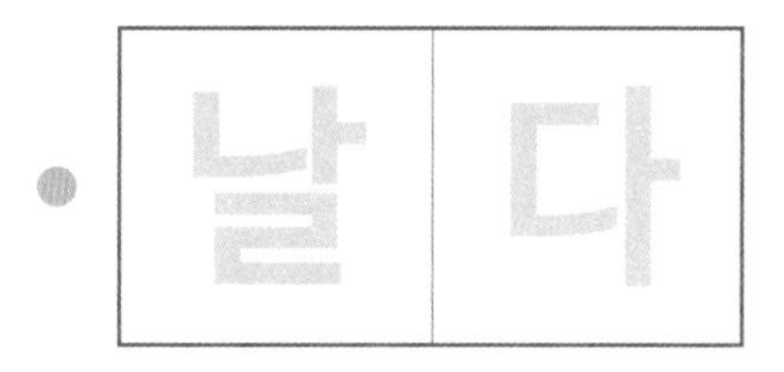

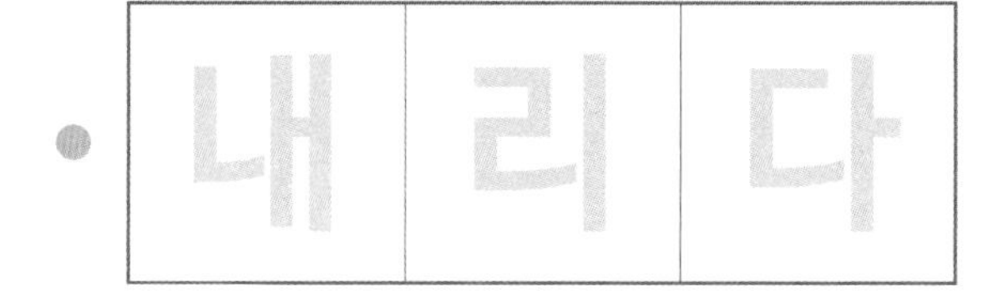

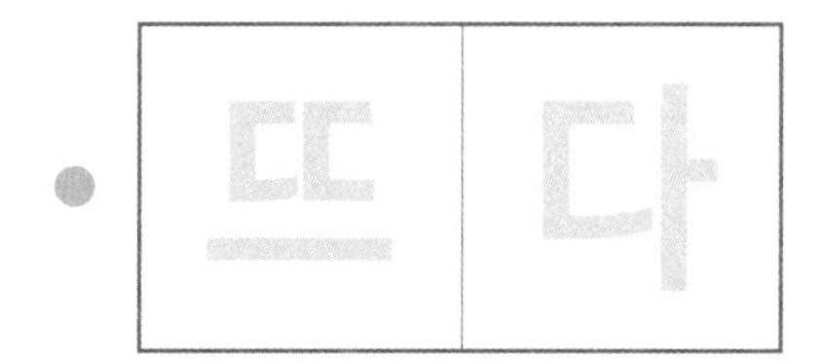

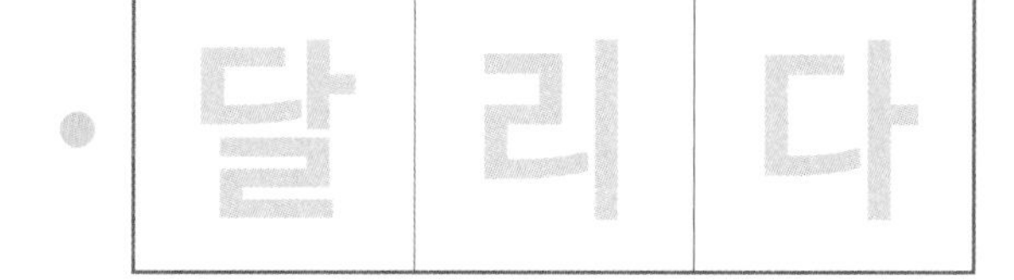

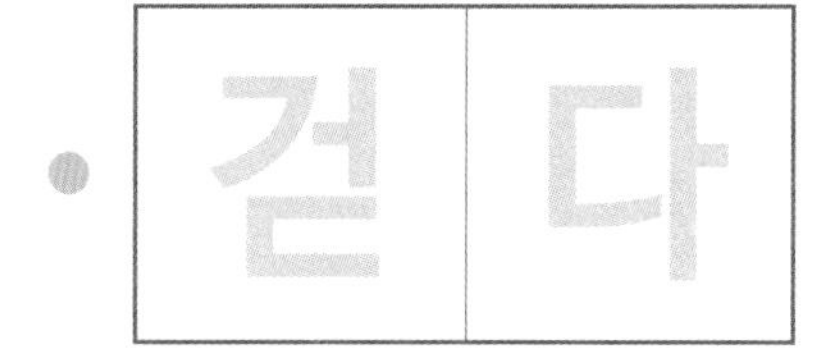

건너다

TIP **이렇게 지도하세요!** '기차 – 철로', '자동차 – 도로', '비행기 – 하늘' 등과 같이 여러 가지 탈것과 어울리는 낱말을 익히며 어휘력을 향상시키도록 지도해 주세요.

그림을 보고, 빈칸에 알맞은 말을 **보기**에서 찾아 쓰고 문장을 만들어 보세요.

보기 걷다 뜨다 건너다 내리다

1. 바다에 배가 한 척 ☐☐.

2. 물통을 든 아저씨가 ☐☐.

3. 자동차들이 다리를 ☐☐☐.

4. 엄마와 아이가 기차에서 ☐☐☐.

학교에 가요

TIP 이렇게 지도하세요!

먼저 아직 학교생활을 경험해 보지 못한 아이가 학교에 가면 어떤 활동을 하고 싶은지 상상해 보게 해 주세요. 그리고 아이와 말하고, 듣고, 쓰고, 춤추고, 만드는 등의 다양한 활동에 대해서 자유롭게 이야기를 나누어 주세요. 그런 다음 그림을 살펴보면서 글자를 읽고, 따라 쓰도록 지도해 주세요.

춤 추 다
부 르 다
찰흙
찰흙
만 들 다

쌍 글자의 짜임 알아보기

글자가 어떻게 만들어졌는지 잘 보고, 순서에 맞게 쓰세요.

TIP 이렇게 지도하세요! '말하다', '듣다', '만들다'는 평소에 자주 사용하는 낱말이지만 받침을 잘못 사용하거나 글자 쓰는 순서에 맞지 않게 쓰기 쉬우므로 아이가 순서대로 바른 모양의 글자를 쓰는지 지켜봐 주세요.

3 듣다

듣 다

듣	다	듣	다		

4 춤추다

춤 추 다

춤	추	다	춤	추	다

상 글자의 짜임 알아보기

글자가 어떻게 만들어졌는지 잘 보고, 순서에 맞게 쓰세요.

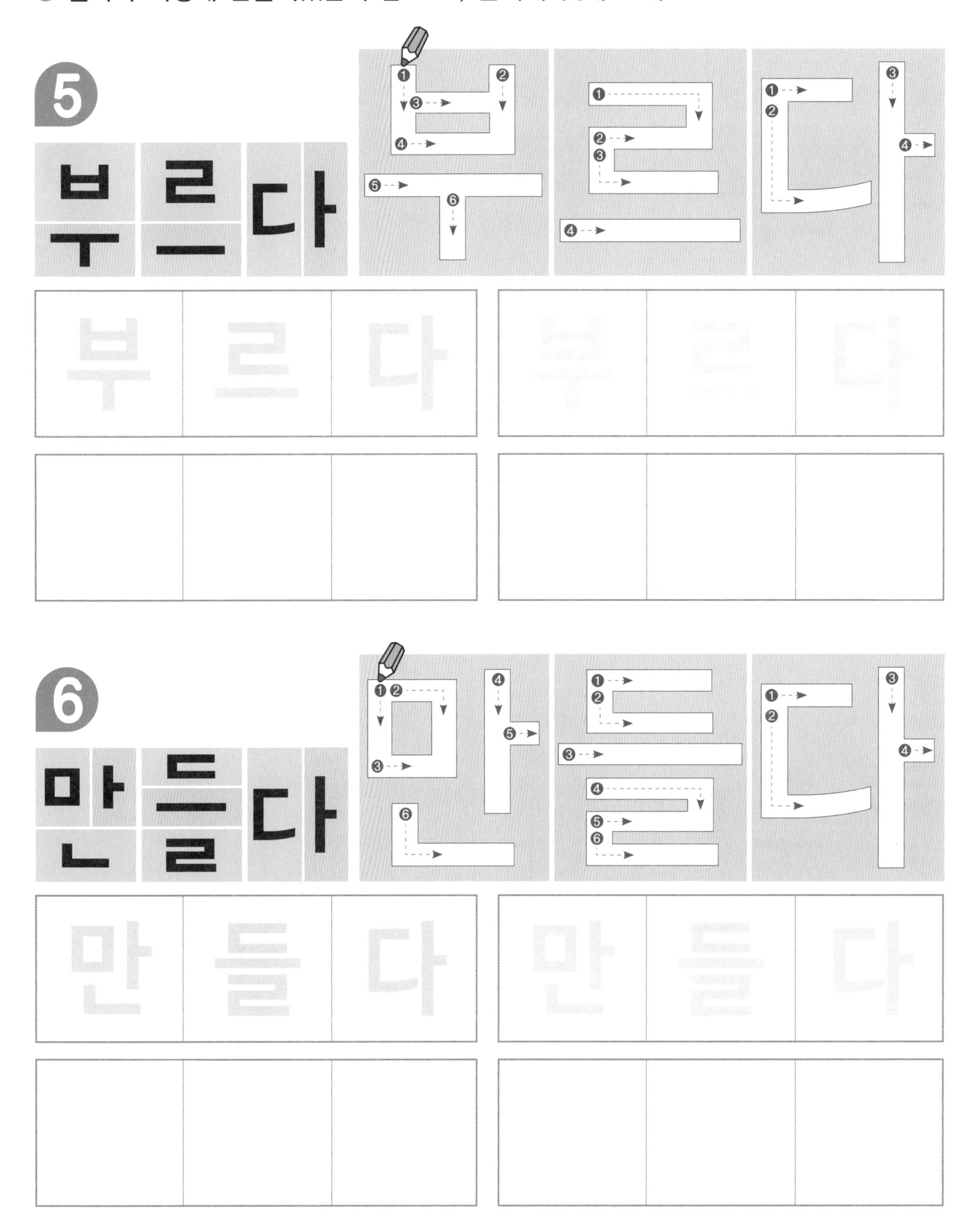

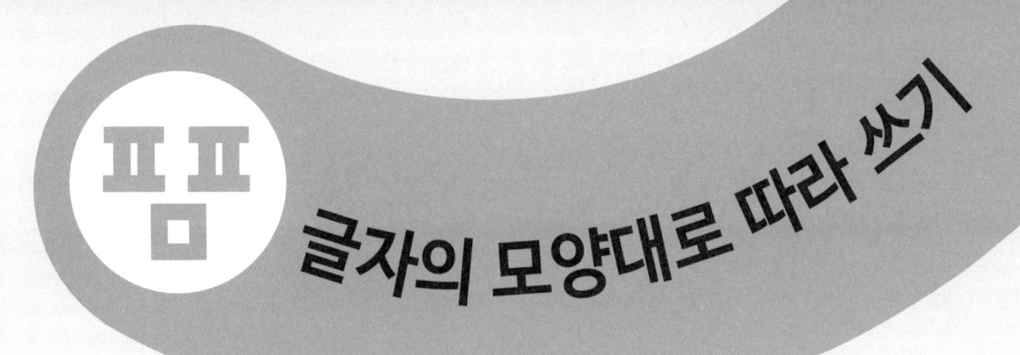

글자의 모양대로 따라 쓰기

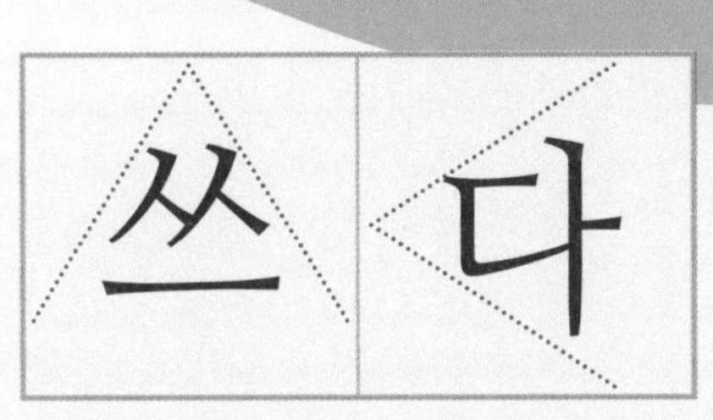

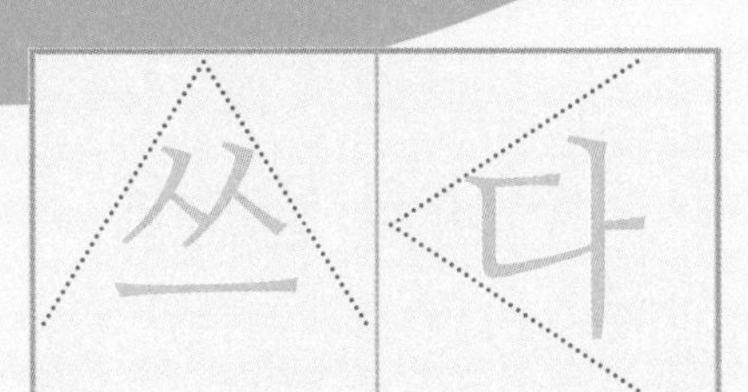

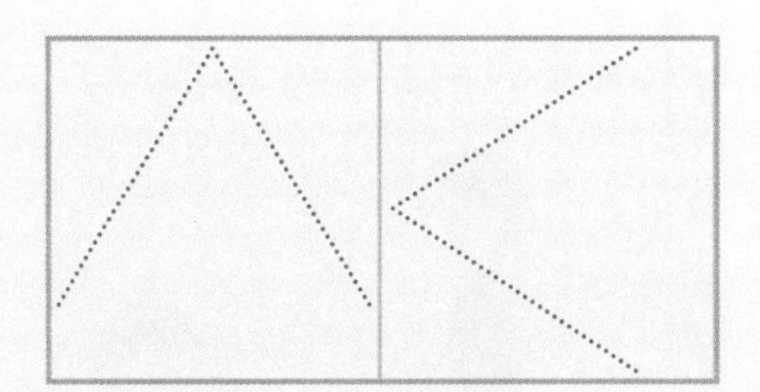

말 하 다

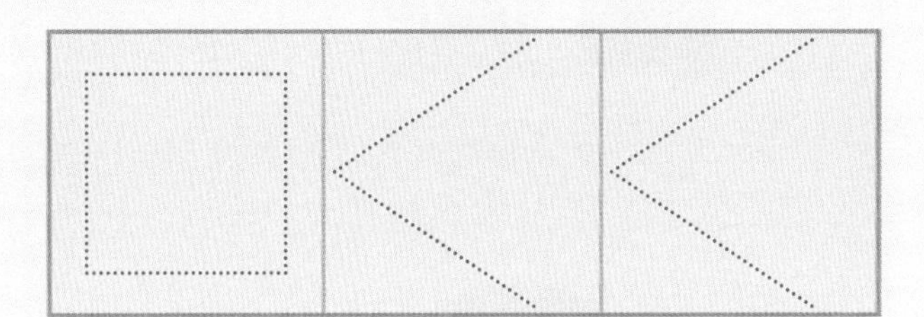

듣 다

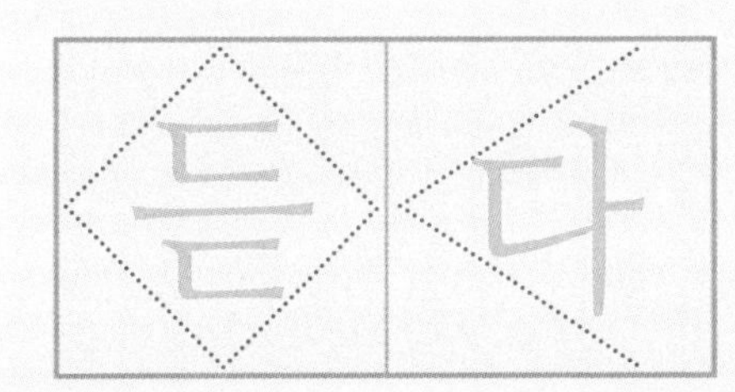

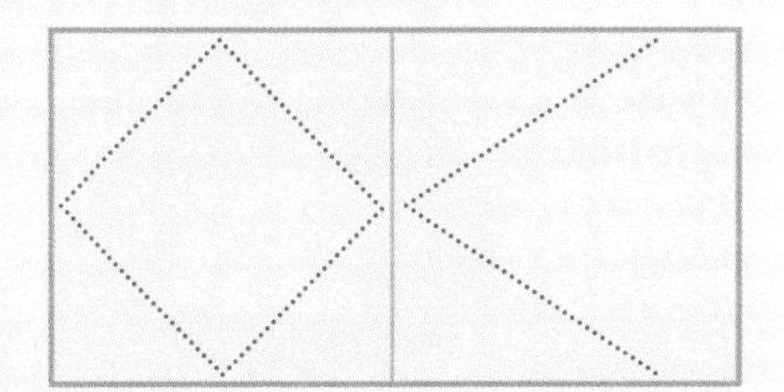

춤 추 다

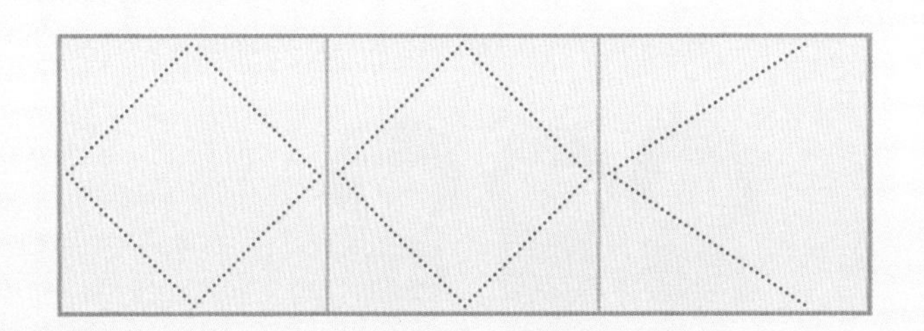

부 르 다

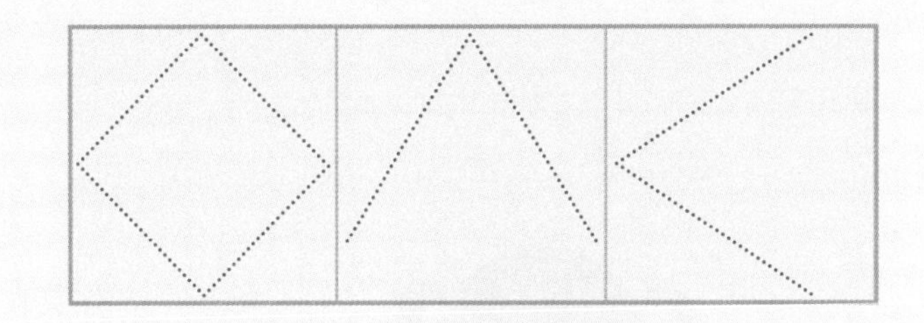

만 들 다

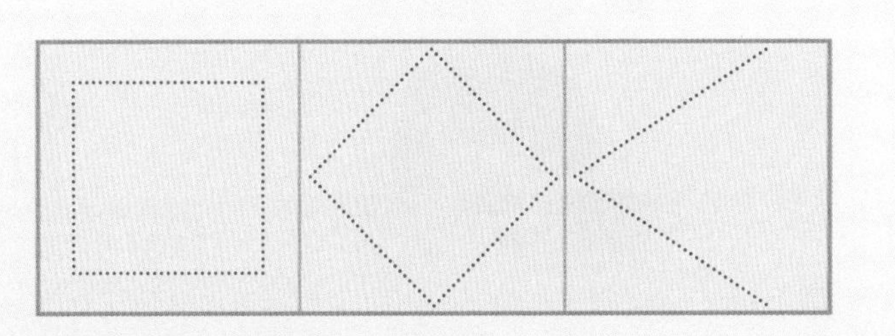

빗 정확한 글자 익혀 보기

다음 그림이 나타내는 낱말을 알맞게 채워 쓰세요.

선생님 말씀을

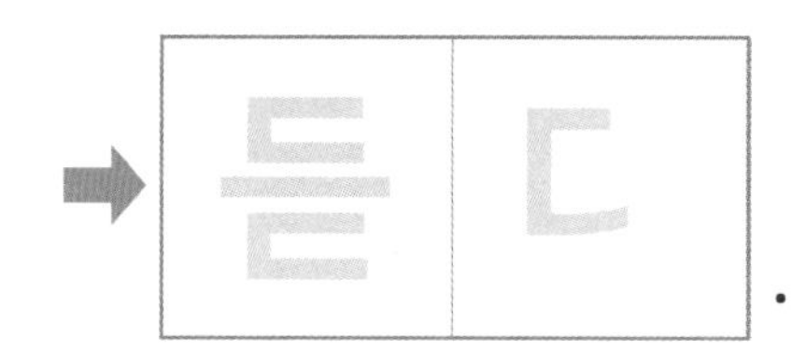

영준이가 글씨를

친구들이 노래를

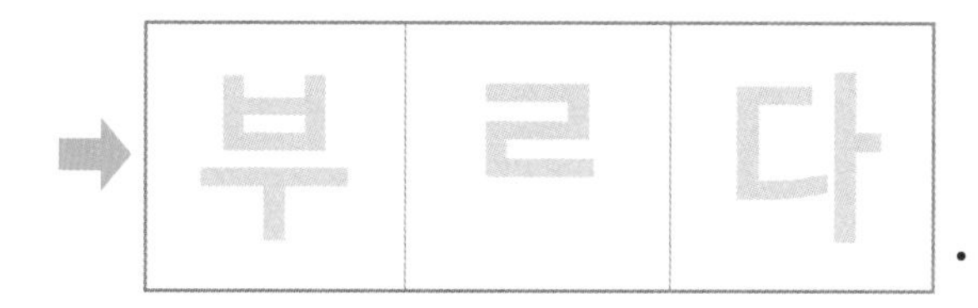

아진이가 찰흙으로 동물을

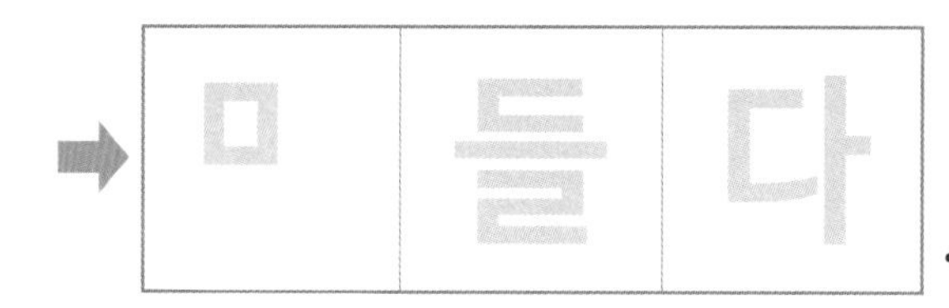

TIP **이렇게 지도하세요!** 아이가 학교에 가서 선생님, 친구들과 생활하면서 사용할 낱말을 두루 익히도록 지도해 주세요. 또, '말하다'와 '듣다'가 뜻이 반대인 낱말이라는 점도 알려 주세요.

그림을 보고, 빈칸에 알맞은 말을 **보기**에서 찾아 쓰고 문장을 만들어 보세요.

보기 말하다 쓰다 만들다 춤추다

❶ 루아가 공책에 한글을 ☐☐.

❷ 한나가 노래에 맞춰 ☐☐☐.

❸ 준이가 친구들 앞에서 ☐☐☐.

❹ 서준이와 예솔이가 찰흙으로 공룡을 ☐☐☐.

바다에 가요 햇

불 다

치 다

깊 다

TIP 이렇게 지도하세요!

아이가 그림 속 낱말을 살펴보면서 읽고, 따라 쓰게 해 주세요. 그리고 아이에게 '바람이 불다', '파도가 치다', '바다가 깊다', '해변에서 음료수를 마시다', '모래성을 쌓다' 등 낱말이 활용되는 상황을 짧은 문장으로 설명해 주세요. 그림 속 낱말 외에도 '물고기가 헤엄치다', '고기를 잡다' 등 바다와 관련한 다른 낱말도 여러 가지 알려 주세요.

높다
마시다
쌓다

알아보기

상 글자의 짜임

글자가 어떻게 만들어졌는지 잘 보고, 순서에 맞게 쓰세요.

1

깊다

깊 다 깊 다

2

불다

불 다 불 다

TIP 이렇게 지도하세요! 아이가 바다에 가 보았거나 텔레비전에서 보았던 경험을 바탕으로 낱말의 뜻을 정확히 익히도록 지도해 주세요. 그리고 받침 'ㅍ'을 쓰는 순서를 바르게 아는지 확인해 주세요.

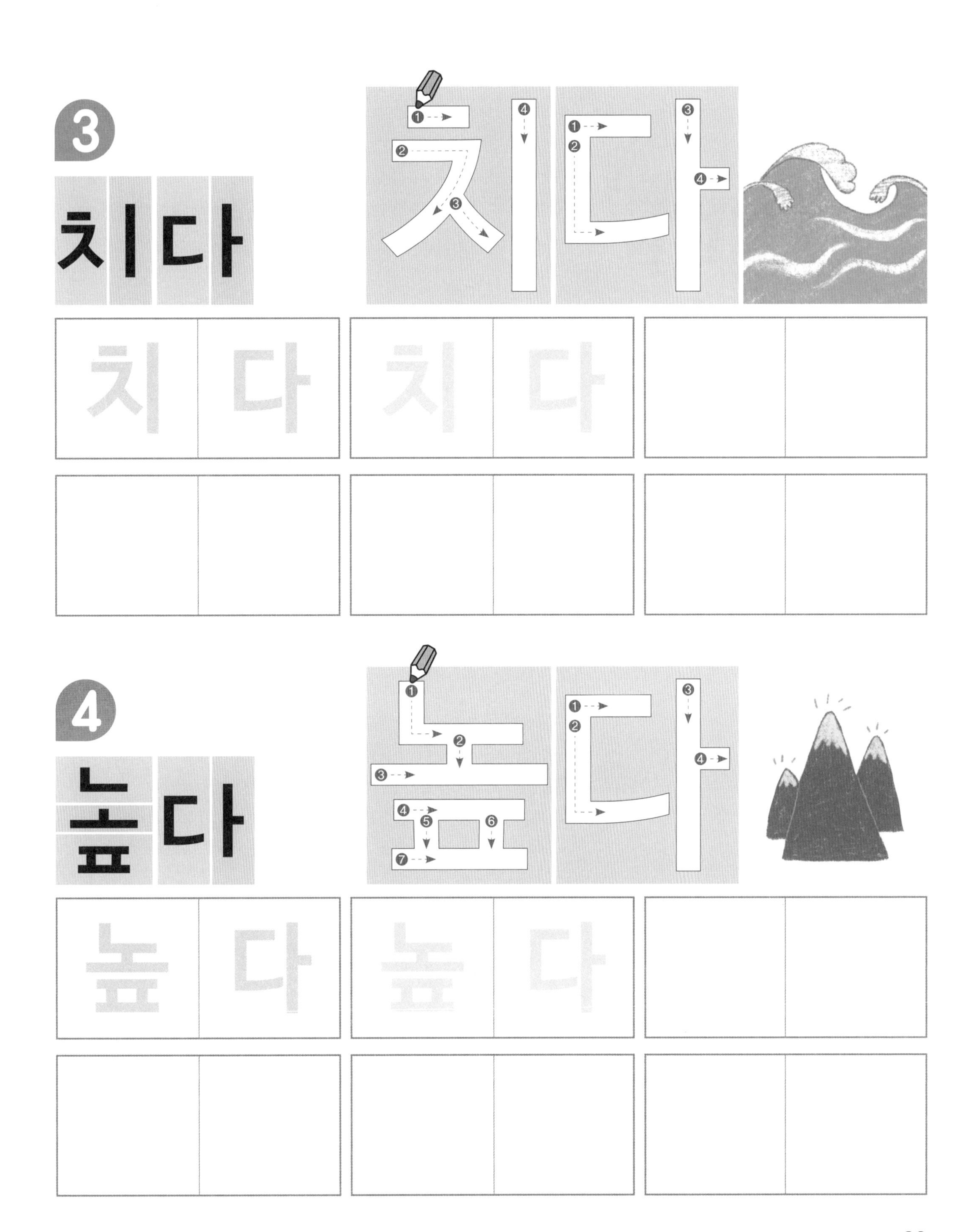

상 글자의 짜임 알아보기

글자가 어떻게 만들어졌는지 잘 보고, 순서에 맞게 쓰세요.

픔 글자의 모양대로 따라 쓰기

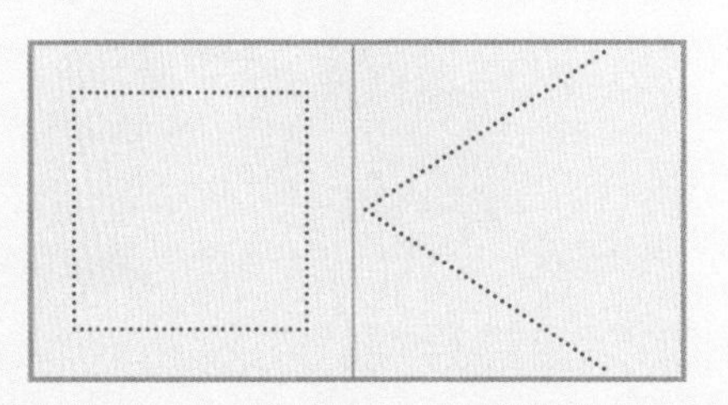

받침 정확한 글자 익혀 보기

다음 그림에 알맞은 낱말을 찾아 선으로 잇고, 글자를 따라 쓰세요.

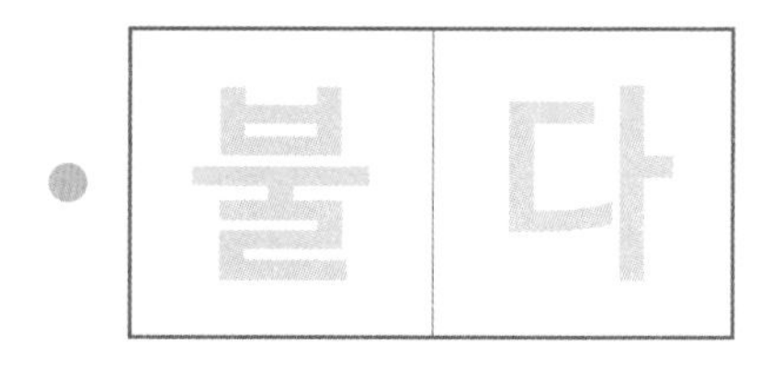

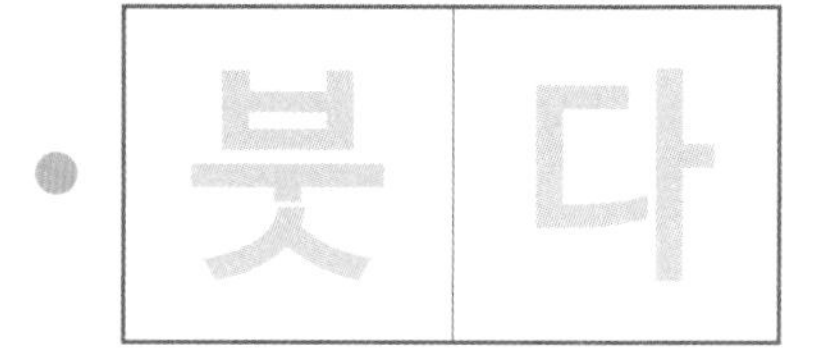

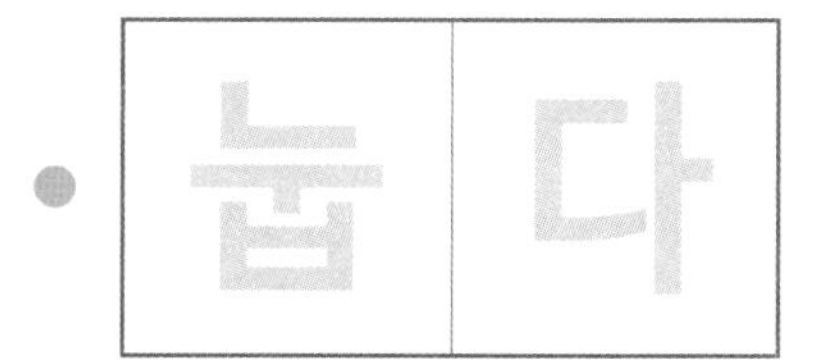

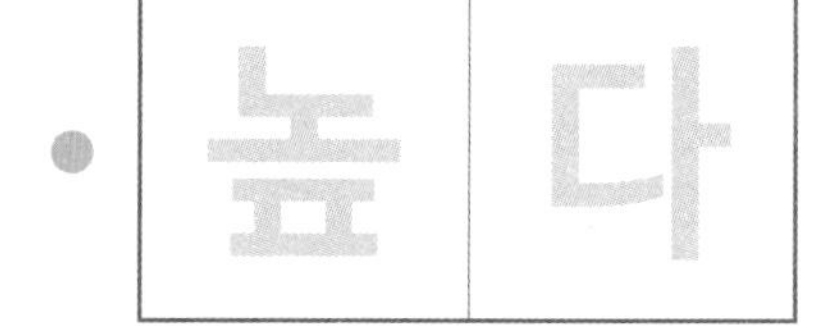

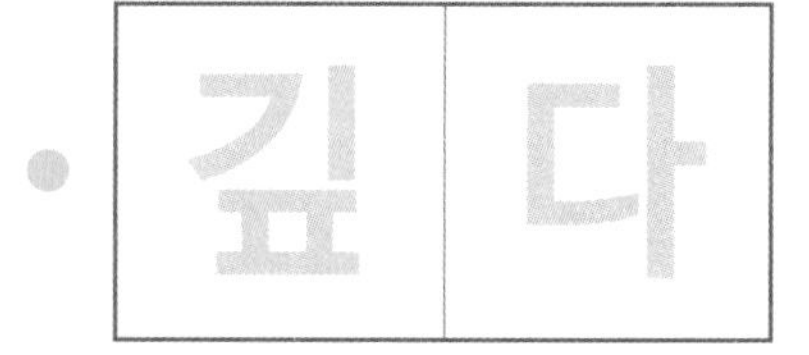

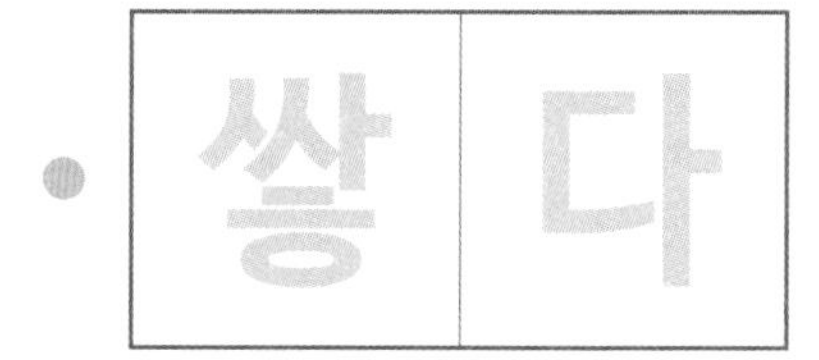

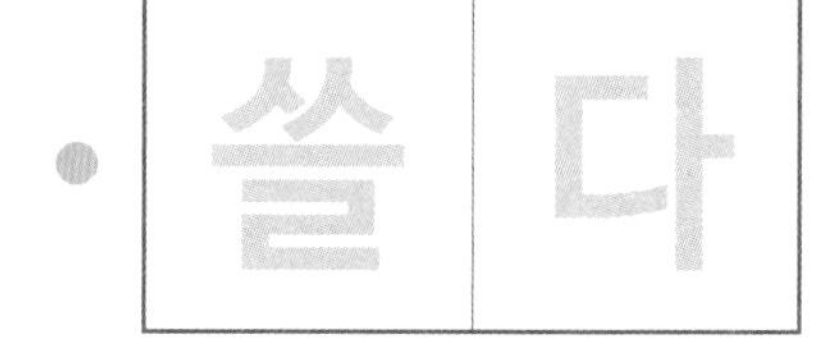

TIP 이렇게 지도하세요! '기온이 높다', '실력을 쌓다'와 같이 낱말이 다양하게 쓰일 수 있음을 알려 주세요. 그리고 그림 배경에 어울리는 말을 찾아보게 해 주세요.

그림을 보고, 빈칸에 알맞은 말을 **보기**에서 찾아 쓰고 문장을 만들어 보세요.

보기 깊다 불다 치다 쌓다

1. 파도가 넘실넘실 [ ].

2. 시원한 바람이 살랑살랑 [ ].

3. 유주가 즐겁게 모래성을 [ ].

4. 아이들의 발이 바닥에 닿지 않을 정도로 바다가 [ ].

병원에 가요

TIP 이렇게 지도하세요!

아이와 함께 병원을 배경으로 한 그림을 한번 훑어보고, 낱말과 관련 있는 상황을 손으로 짚어 가며 구체적으로 설명해 주세요. 그리고 그림 속 낱말을 읽고, 따라 쓰도록 지도해 주세요. 이때 '배가 아프다', '청진기를 대다', '키를 재다' 등과 같이 낱말이 활용되는 다양한 예를 들어 아이가 낱말의 뜻을 정확히 익히도록 해 주세요.

상 글자의 짜임 알아보기

글자가 어떻게 만들어졌는지 잘 보고, 순서에 맞게 쓰세요.

1

아프다

아 프 다 아 프 다

2

대다

대 다 대 다

TIP **이렇게 지도하세요!** 'ㅐ'와 'ㅔ' 같이 헷갈리기 쉬운 모음이 있는 글자를 쓸 때 주의하도록 지도해 주세요. 그리고 한글 쓰기를 마무리하는 단계인 만큼 아이가 순서를 보지 않고도 또박또박 잘 쓰는지 확인해 주세요.

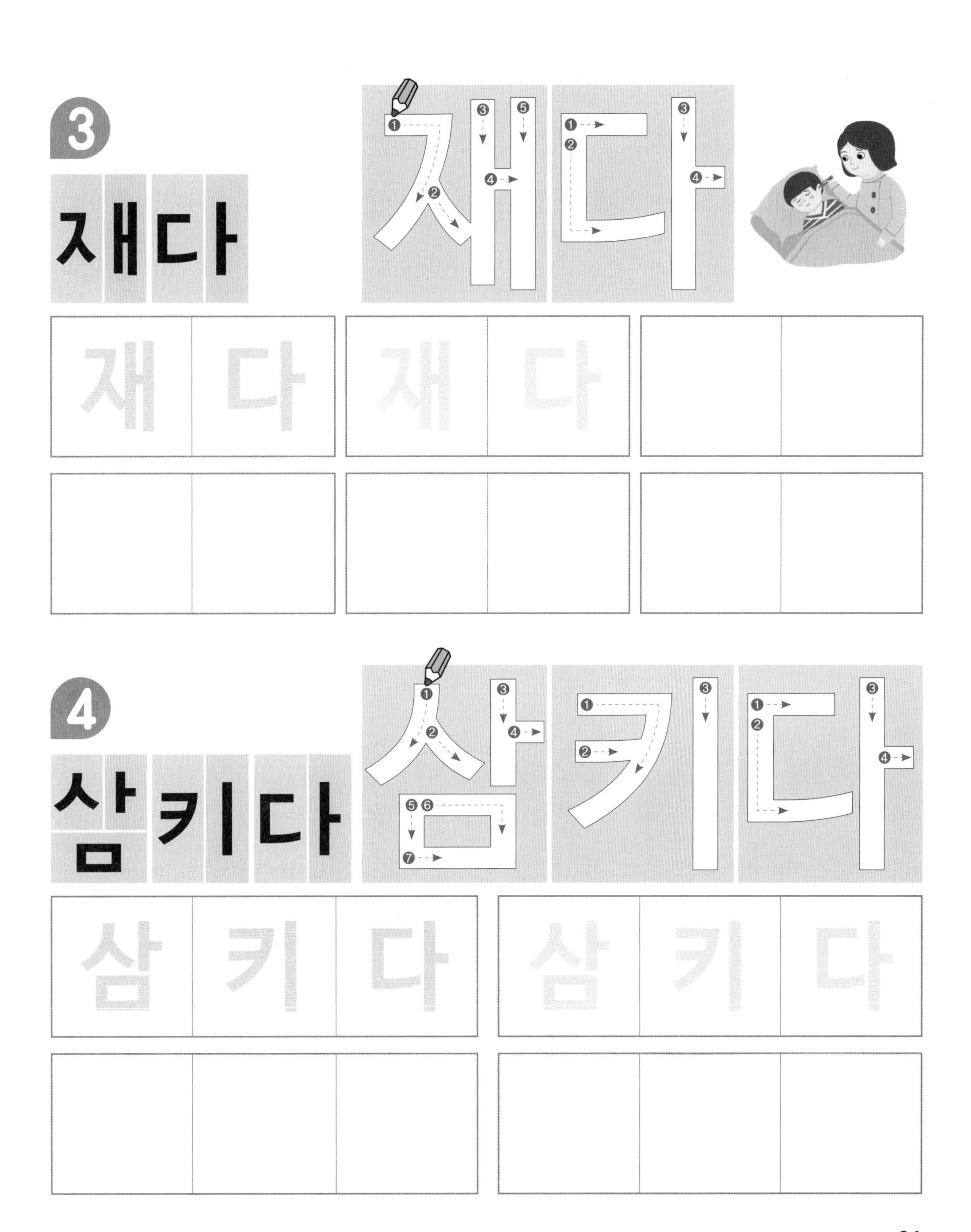

상 글자의 짜임 알아보기

글자가 어떻게 만들어졌는지 잘 보고, 순서에 맞게 쓰세요.

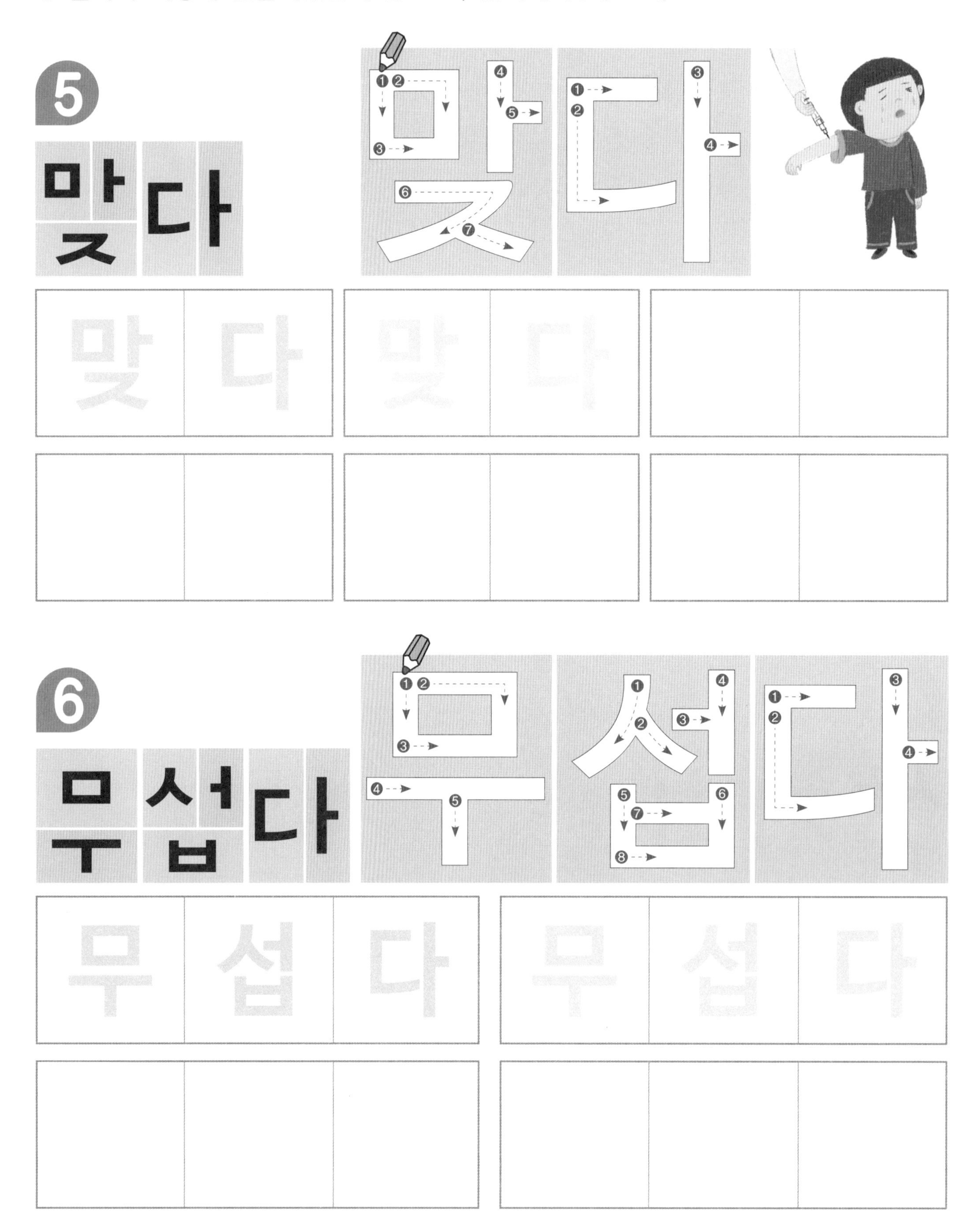

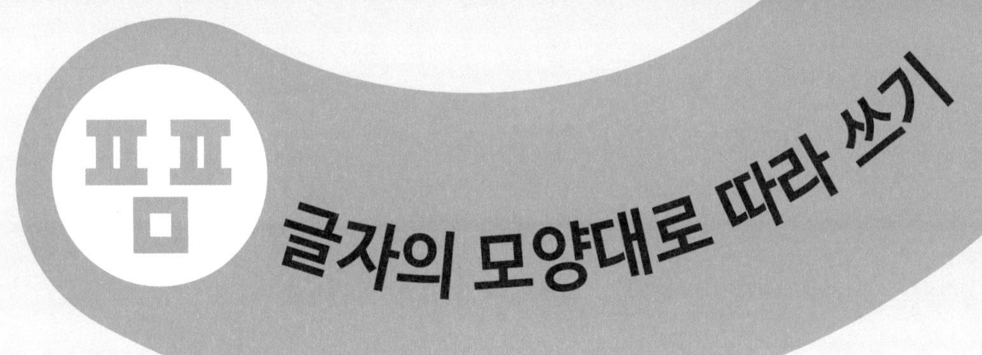

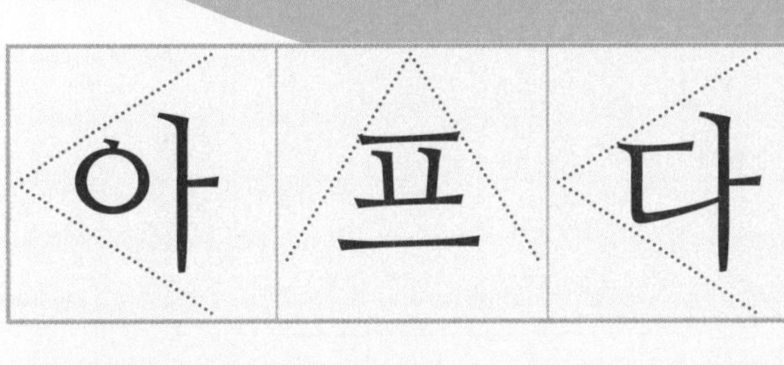

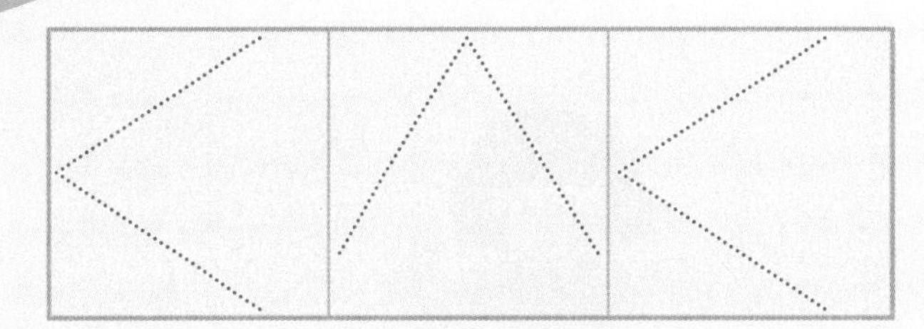

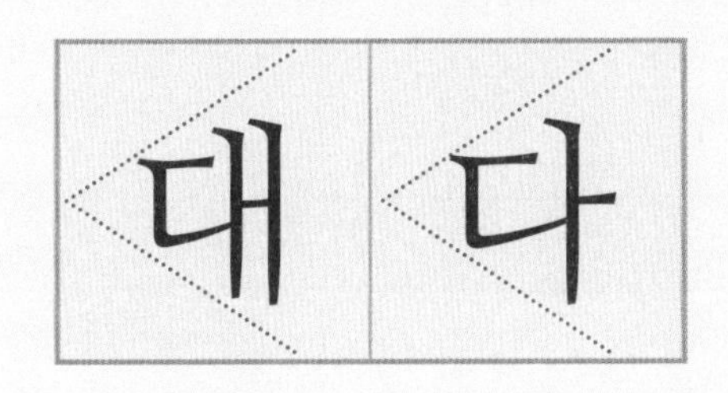

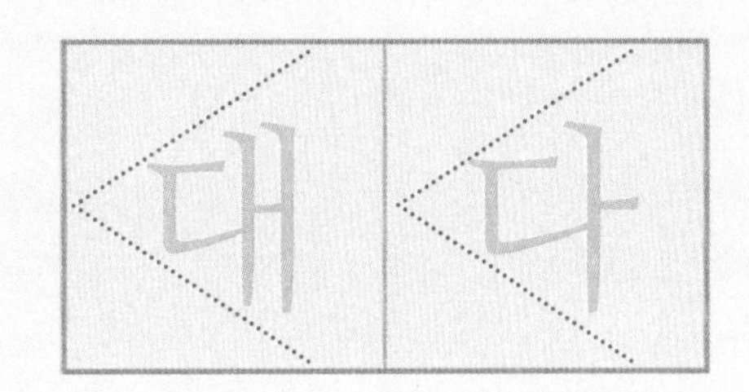

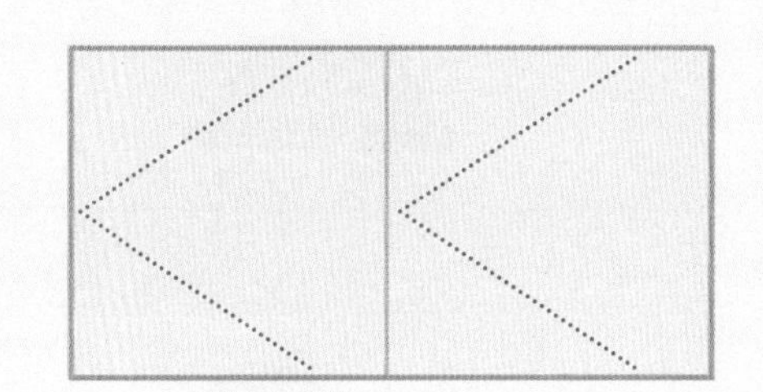

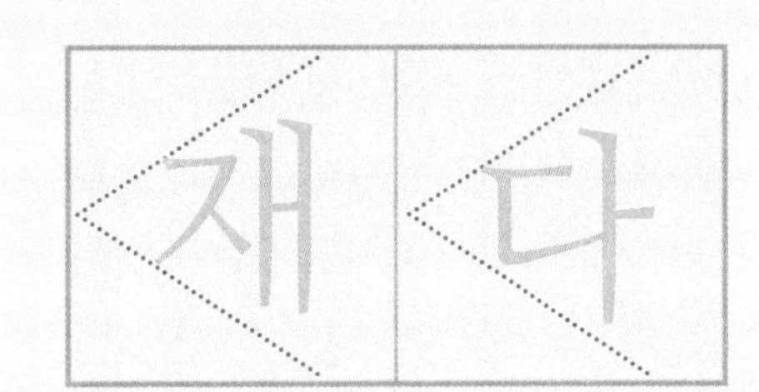

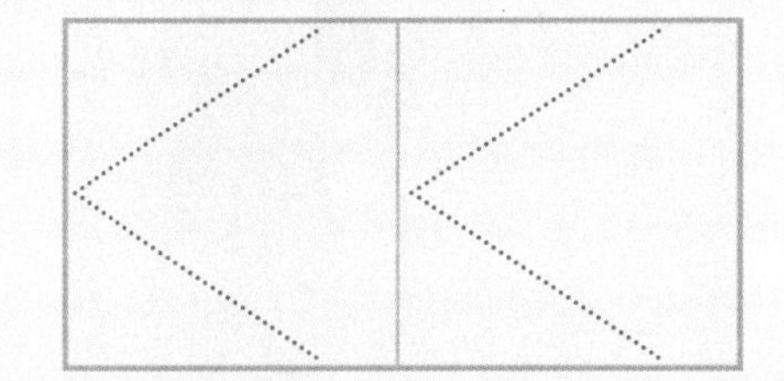

삼 키 다

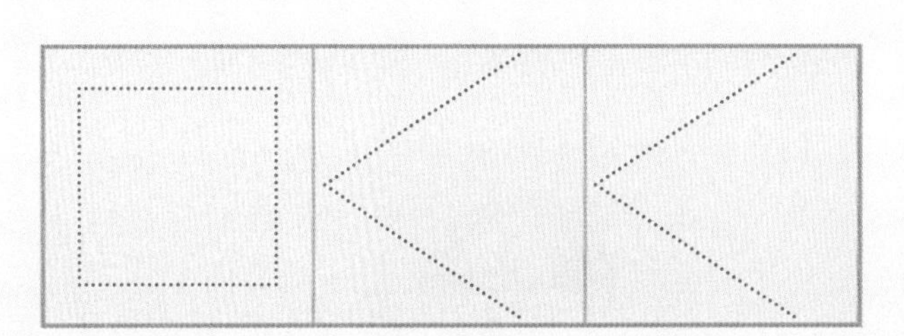

맞 다

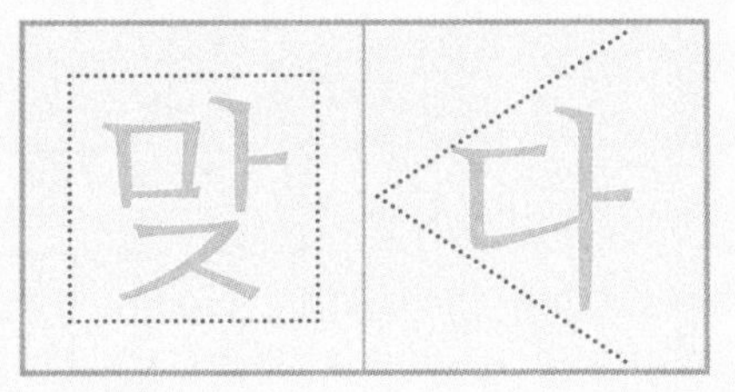

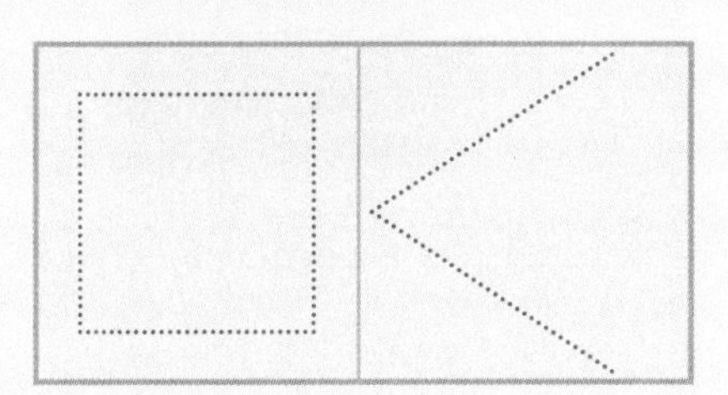

무 섭 다

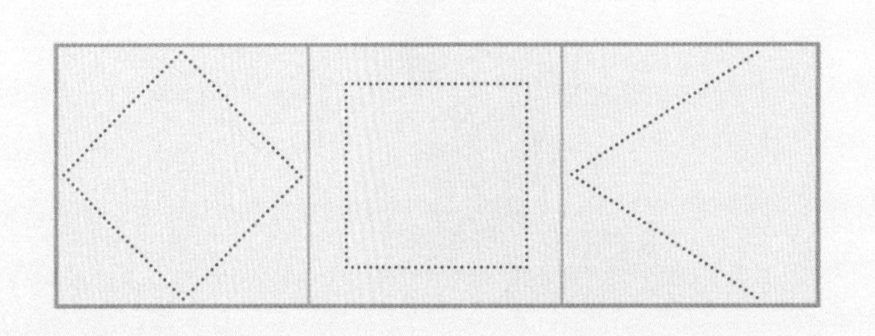

정확한 글자 익혀 보기

다음 그림에 알맞은 낱말을 찾아 선으로 잇고, 글자를 따라 쓰세요.

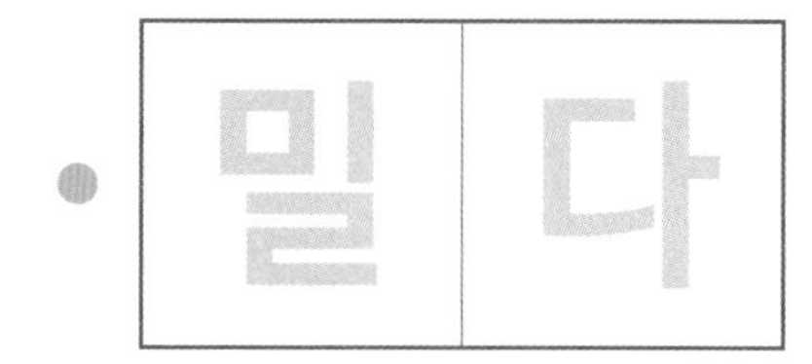

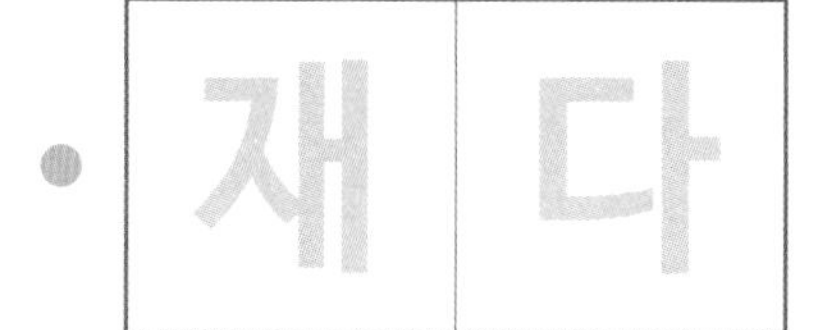

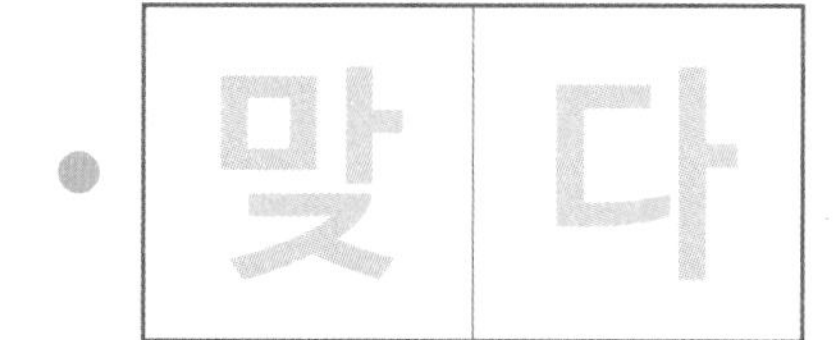

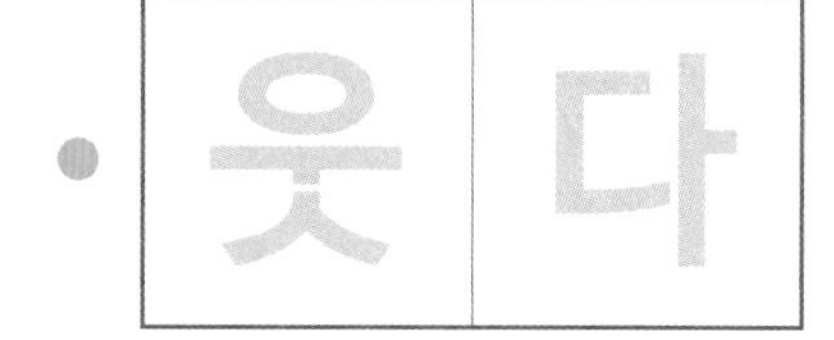

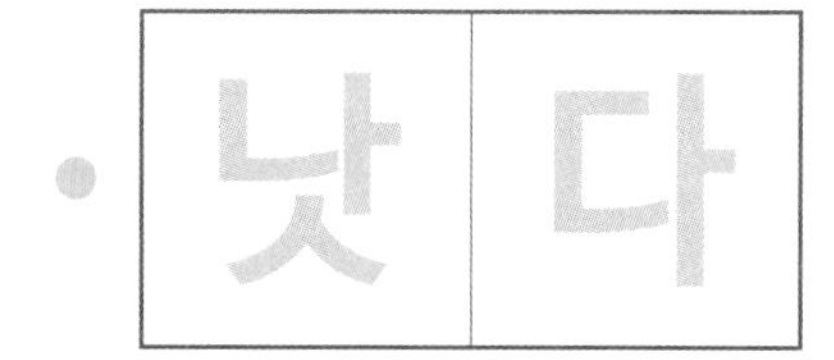

아	프	다

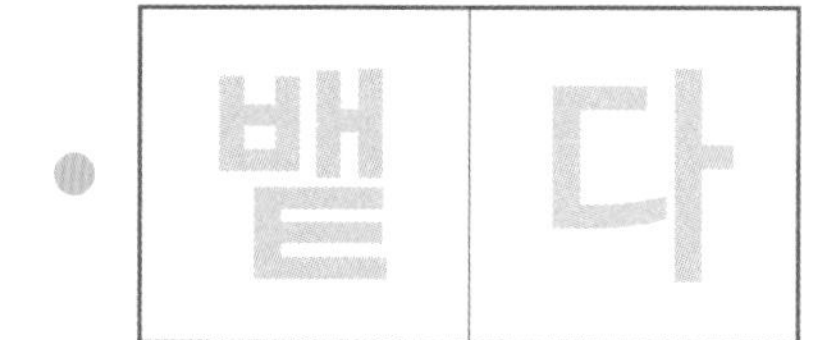

삼	키	다

TIP **이렇게 지도하세요!** "언제 병원에 갔지?", "병원에서 키와 몸무게를 재고, 주사를 맞았지?" 등 아이의 경험과 관련된 질문을 통해 아이가 낱말의 뜻을 정확히 이해하고 쓰도록 도와주세요.

그림을 보고, 빈칸에 알맞은 말을 **보기**에서 찾아 쓰고 문장을 만들어 보세요.

보기 대다 재다 맞다 삼키다

1. 찬형이가 팔에 주사를 ☐☐.

2. 경민이가 감기약을 꿀꺽 ☐☐☐.

3. 주영이의 키가 얼마나 자랐는지 ☐☐.

4. 의사 선생님이 은호의 몸에 청진기를 ☐☐.

참 잘했어요

이름

위 어린이는 7세 초능력 한글 쓰기 2단계를
성실하고 훌륭하게 마쳤습니다.
이에 칭찬하여 이 상장을 드립니다.

년 월 일